妄想古典教室

欲望で読み解く日本美術

木村朗子

青土社

妄想古典教室　目次

妄想古典教室　欲望で読み解く日本美術

はじめに

古典文学を読んでいると、私たちが二〇世紀になってようやく手に入れた科学技術を駆使した世界観は、すべてその昔、古代中世の人々が思い描いていたことなのだという気がしてくる。考えてみれば、空を飛ぶ技術などは、順番としてまず鳥のように空を飛んでみたいという願望が先にあって、のちに技術が追いついていったはずなのだ。なによりも先に、大それたことを思い描く妄想力がなければ、こんなふうに文明も科学も発達しはしなかっただろう。しかも古代中世の人たちは空を飛ぶことをただぼんやりと思い描いていたわけではない。物語の世界のなかで、絵画のなかで、それを妄想的に具現化させていたのである。古代中世の人々は人間が空を飛ぶことを疑いもなく確信的に描いてきた。

たとえば、宮曼荼羅というジャンルの画幅がある。神社の景観を描いて、それを掲げて礼拝すれば神社に参詣したことになるという便利な参拝ツールである。例として、ニューヨーク、メトロポリタン美術館蔵の「春日宮曼荼羅」をみてみよう。藤原氏の氏の社である奈良、春日大社の一の鳥居からの道のりと、春日大社の奥にある三蓋山を描いた画幅である。人の姿は描かれていないが、そこここに春日明神の乗り物たる鹿が描きこまれている。一の鳥居をくぐってすぐの左手には二つの五重塔が描かれているが、これは応永一八（一四一一）年の落雷で焼失している。白原由紀子「春日宮曼荼羅研究の現在」（『哲学』132、三田哲學會、二〇一四年三月）によれば、この五重塔は、もとは永久四（一一一六）年に藤原忠実の発願によって建立された西御塔に、保延六（一一四〇）年に鳥羽上皇の発願による東御塔が加わって成ったが、いずれも、治承四（一一八〇）年の平重衡による南都焼討で一度焼失している。その後の再建で両塔が揃うのは、宝治年間（一二四七～四八）のことで、しかも再建された塔は西御塔が裳階なしの五重塔だったのに対して、東御塔は裳階つきの五重塔だったという。ニューヨーク、メトロポリタン美術館蔵本は、一四世紀初期の作とされているから、南都焼討のあとの、再建された塔が完成するかしないかの頃に描かれたことになる。やまと絵の定石の表現であるすやり霞で塔の下方が隠されているので、オリジナルの二塔なのか再建後のものなのかはわからない。

奥の山の端には満月がのぼっており、そのさらに上の中空に浮かぶ五つの円のなかに、若宮、本殿一宮から四宮の本地仏が描かれる。右から順に、十一面観音、不空羂索観音、薬師如来、地蔵菩薩、十一面観音が描かれている。通例では、いちばん右の若宮の本地は文殊菩薩であらわされるはずだが、ここではどうしたわけか十一面観音を二体描く構成になっている。一宮の本地の不空羂索観音は、ある時期から釈迦如来に置き換えられるようになった。このように、春日大社の各々の宮で祀られている神々は仏教の尊格を本地とし、それが現世に顕われた姿神なのだという本地垂迹説が表わされているわけである。

ところで、いま問題にしたいのは、この絵の角度である。まるでドローン撮影をしたようではないか。現在は、多少景観は変わっているものの、グーグルアースで寄ってみるとだいたい似たような画像を確認することができて、たしかにこの絵に描かれたのは春日大社だとわかる。しかしどこに立ってもこのように春日大社全体を見下ろせる場所は地上には存在しないのである。こうした上からの視点で描かれたものを鳥瞰図と呼んで、私たちは鳥の眼からみた図と表現しているわけだが、まさに鳥のように空を飛んで、春日大社を見下ろして描かれたようにみえるのである。この実景が得られるような高台を探してみることにはさして意味がない。重要なのは、中世の人々が春日大社の景観を描くのに、どうしても上からの視点で見下ろさなければならないと考えた点である。「春日宮曼荼羅」に限らず、どの宮曼荼羅もこのドローン視点で描かれているの

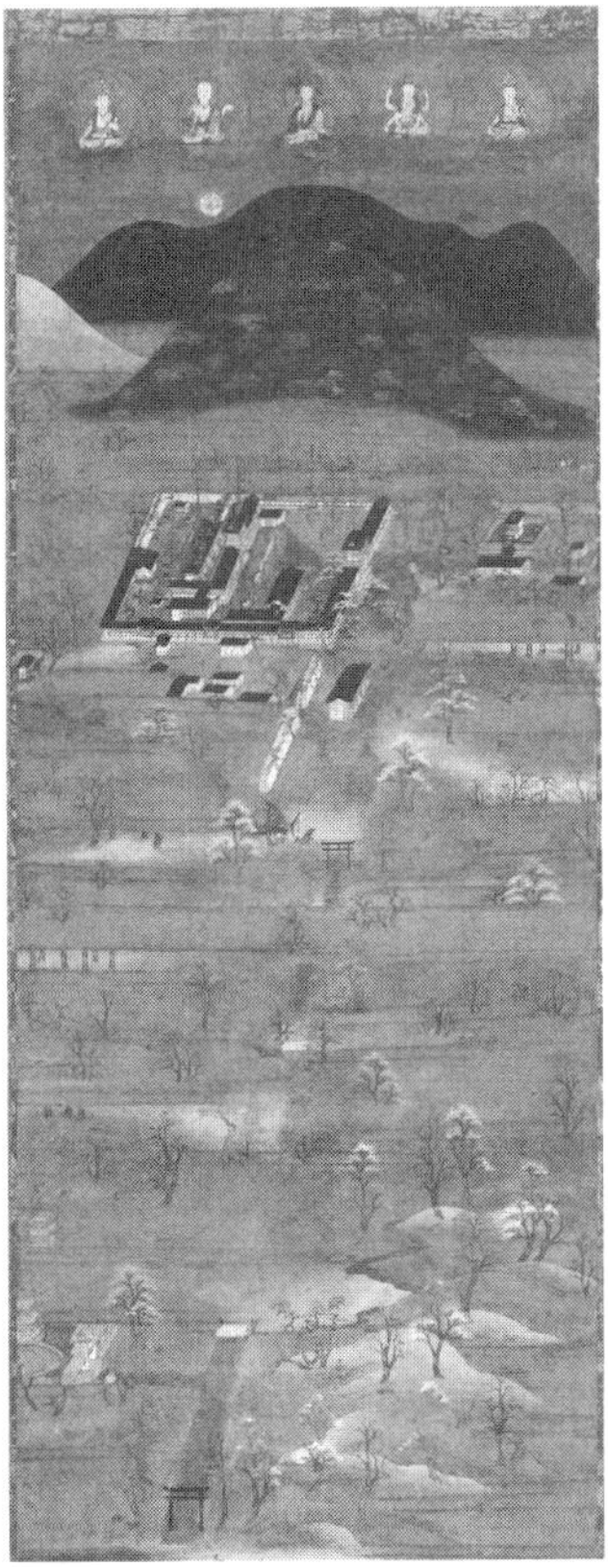

図1　春日宮曼荼羅（14世紀）（ニューヨーク・メトロポリタン美術館蔵）

である。それはなぜか。

そのヒントは、この絵の虚空に浮かぶ本地仏にあるのではないか。春日大社の山側の回廊には影向門(ようごうもん)がある。影向というのは、神仏がこの世界に顕われ出ることをさす。春日大明神の霊験を存分に描いた「春日権現験記絵」は、西園寺公衡が制作し、延慶二(一三〇九)年に春日大社に奉納された全二十巻九十三段におよぶ長大な絵巻だが、巻八第七段には、興福寺の僧が東国に移り住んで、春日大社のことをなつかしく思い出していると、夢うつつに春日大明神の姿が顕われ、「汝は我を離るれど、我は汝を捨てず」、末代まで見守ると告げたという話がある(続日本の絵巻14『春日権現験記絵』下、中央公論社、一九九一年に拠る)。これに付随するのは、僧坊の前にある大きな松の木に束帯姿の男性がのっている画だ。春日大社には影向の松があり、それが能舞台に描かれている松なのだという。いかにものりにくそうな松葉の上でもおかまいなしに顕われ出るというイメージは、ふわりと虚空を飛んできて着地した姿なのだろう。影向とは、こういう顕われ方をいう。「春日宮曼荼羅」に描かれた宙に浮かんだ本地仏がこの世に顕われ出るとき、それは山のあなたの中空からやってくるのである。影向門は山からふんわりと飛んできた神仏を迎え入れるところである。春日大社が上からの視点で描かれなければならなかったのは、神仏の視点はきっとこのようなものだと中世の人々が妄想したからではないか。宮曼荼羅は神仏の眼で描かれている。とすると、この「春日宮曼荼羅」を掲げて礼拝する者たちは必然的に神仏の眼を手に入れてしまうことになる。礼拝者は、神仏と同体となって春日大社を参詣するのだ。なんという大胆な妄想力だろう。

「春日権現験記絵」巻十七第一段で明恵上人が天竺に渡りたいとの願望を抱き、神意を占う場面がある。春日社では「橘氏の女」と呼ばれる巫女が神がかかりして託宣することになっているのだが、突如、橘氏の女は、鴨居にのぼって渡海はまかりならぬと神託を述べる。このとき橘氏の女は妊婦であったがそんなところによじのぼってもまったく大事なかったという。続く第二段で、同じく神がかりした橘氏の女がこんどは天井にのぼって託宣する。なぜ高いところにのぼりたがるのかといえば、春日大明神はこんな説明をする。「我らが輩は、もとより高き所にあれば、憑くべき者を引き上ぐるなり」。つまり、神たるもの、あるいは本地仏たるものは高い所にいるものなので、憑依された人も高いところにのぼっていただく必要があるというのだ。神は中空からやってくる。すなわち神仏は空を飛ぶ。「春日宮曼荼羅」にしろ、「春日権現験記絵」にしろ、神仏を描く日本美術はこうした妄想が生みだしたものである。神や仏の世界というのは、だれもみたことがないのだから、どうしたって妄想的にならざるを得ない。となれば、妄想が宗教世界を作り出しているわけである。むろん、物語だって妄想の産物だ。

こうしてみると、技術でなにもかもがまかなわれてしまった現在の私たちのほうが小賢しい常識にしばられて、実は自在な妄想力を失っているのかもしれない。古代中世の古典文学がわからないとすれば、それは妄想力の欠如のせいではないのか。古代中世の世界を理解したければ、相応の妄想力が必要なのだ。ならば、いま再び、私たちは妄想力を鍛え直さねばなるまい。

本書は、古代中世の人々がものした物語、絵巻、仏像などを妄想たっぷりに読み解き、古代中世社会の思考をあぶり出す試みである。古代中世の人々にとって、世界は、仏教や神道などの信仰によって彩られたものであったし、信仰は物語や絵画、仏像とわかちがたく結ばれていた。したがって、物語、絵画、仏像そして宗教を総合してみることで、はじめて古代中世の世界観が明らかになるのである。

ところが、学問の世界では、それらはそれぞれ、文学、美術史学、宗教学、歴史学などの領域に分かたれ、従来、別々に論じられてきた。しかも実際にはさらに細かく専門領域が分かれていて、たとえば、文学研究では、『源氏物語』のような平安宮廷物語研究と説話研究とはたいていの場合、別に扱われているし、物語研究と和歌研究もまた別領域である。さらに時代ごとに区分されていて、古典文学研究と近現代文学研究の交流はほぼないし、古典文学研究のなかでも古代と中世は別々に議論されているのである。

九〇年代、古典文学研究に美術史経由でジェンダー論が入ってきたとき、文学と美術史の両領域の共同研究が盛んになった。一九九五年に美術史研究者が中心となって新しく立ち上げたイメージ&ジェンダー研究会では、アーティストをまじえて議論するなど学問領域にこだわらない開かれた研究会であった。また二〇〇四年には、ジェンダー史学会が立ち上げられ、歴史学と文学、美術史など、さまざまな学問分野の研究者たちと交流する場を得た。そうしたムーブメントのなかで、美術史研究の研究会で勉強させてもらいながら、日本美術に興味関心を寄せ続けてきた。

　それでもなお、分野横断的な議論はなかなかに難しいのである。学問には掟とまではいわないが、慣習のようなものがあって、それは分野ごとに異なっているし、物語の読みとはちがって歴史学なら史料を示して議論すべしという不文律がある。史料なしに話をすすめれば、それは妄想だと叱られるにちがいない。しかし、時代が古くなればなるほど、あることを論じるのに必要な史料が失われていて揃わないということがままある。探偵がわずかな証拠で推理を組み立てるようにここはひとつ妄想を駆使するしかないのではないかという局面があるのである。推理小説の探偵が結果としてまちがっていないように、妄想力による議論も存外に当たっているかもしれないではないか。ならば、この際、妄想に妄想を重ねて、古代中世の人々の妄想世界を思う存分妄想してみることにしよう。

第一回　おっぱいはエロなのか

出してダメなのは股間だけ

世の中には出してよいものと出してはいけないものとがあって、明確な基準があるようでないようなものの、たとえば下半身を露出して歩いているとたちまちお縄を頂戴することになる。それは美術、芸術においても同様のようで、日本中の街中に立つ男性裸体彫像を追った木下直之『股間若衆——男の裸は芸術か』（新潮社、二〇一二年）によれば、総じて彫像の股間部分は「曖昧模っ糊り」としているのみで、はっきりとそれとわかるような表現はとらないという暗黙の了解があるという。

それにひきかえ、ミケランジェロのダビデ像など、世界中の老若男女の視線を集めて日がな一日股間を見上げられてもなお恥じるところなく、実に堂々としたものである。とはいえ、ミケランジェロのすっぽんぽんの裸体礼賛も賛否両論だったようで、ジャン＝クロード・ボローニュ（大矢タカヤス訳）『羞恥の歴史——人はなぜ性器を隠すか』（筑摩書房、一九九四年）によれば、一五四一年に完成をみたシスティーナ礼拝堂のフレスコ画「最後の審判」は、完成直後から、聖人たちの股間がいやらしすぎると話題になり、一五六四年には「破廉恥」「恥シラズ」「卑猥」「不埒」と思われる箇所に、腰布を書き足すことが決まった。その後も徐々に腰布の数は増えていったようだが、一九九〇年から一九九四年までの修復で、最初の腰布をのぞいて、すべて消し去られた。ということは、私たちは、いまだミケランジェロが描いたオリジナルの「最後の審判」を見てはいないのである。

この腰布による「わいせつ」回避の方法は、奇妙な偶然を以てのちに日本社会で復活を遂げることになる。一九〇一（明治三四）年の第六回白馬会展覧会に出品された黒田清輝の《裸体夫人像》は、警察の手入れが入り、下半身を布で覆い隠して展示された。この「腰巻事件」に象徴されるように、美術作品であっても、「わいせつ」であるとして罪に問われてしまうのである。

二〇一四年に愛知県美術館で開催された「これからの写真」展において、鷹野隆大の作品が県警から撤去の指導を受けた。男性二人が肩を並べているヌード写真の股間部分が問題となったわけだが、鷹野は「腰巻事件」にならって、その下腹部に白い布をかけて展示をつづけた。古色蒼然とした明治時代の弊習が芸術に対していまだくり返されていることにも驚くが、さしあたってここで問題にしたいのは、黒田清輝の裸婦のほうである。このご婦人、全裸で横座りしているのだが、このとき布で覆われたのは、下腹部だけだったのである。つまり、おっぱいは堂々と露出しているままでも、なんら問題はなかったわけである。とどのつまり、男女ともに「わいせつ」だとして問題となるのは股間なのであって、わいせつというのを「いやらしい」とか「性的である」だとか、あるいはもうすこし上等に「エロティック」だとかだとするなら、おっぱいは、少しもエロティックではないということになるわけである。

マリリン・ヤーロム（平石律子訳）『乳房論』（ちくま学芸文庫、二〇〇五年）によると、西洋絵画では一四世紀に授乳する聖母像が登場するが、それは聖なるものとして描かれていたのであって、エロティックな乳房像が出てくるのは一六世紀になってからだという。

これに対して、日本社会では、だいぶ長い間、おっぱいを人前でさらすことにタブー意識が低かった。現在のように授乳ケープなどが販売される前には、電車のなかで乳房を出して赤ん坊にお乳をあげる母親は珍しくはなかったし、現在でもそれはとくに問題にはされない。世のポルノまがいのグラビア写真などでは、これでもかという勢いで女性の水着姿あるいは上半身の裸姿などを載せて、エロティックな肢体を表現しようとしているし、それを楽しむ観者も、おっぱいはエロティックなものだと思い定め、その「いやらしい」気持ちを慰撫されるらしいのだが、こと授乳の乳房については別物ということになっているようだ。

であるからして、堂々と立派な乳房を象ることに、少しの躊躇もいらないはずだ。ところが奇妙なことに、仏教美術となると、インドではまるまるとした乳房のあった像でも、日本に到着するとことごとく胸部がぺったんこになっていて乳房を表現しようという意欲さえみせないのである。

わかりやすい例として、インドでは授乳する姿での作例のあるハーリティー像がある。ハーリティーは五〇〇人もの子を産んだ多産の母だが、人の子どもをとって喰らう悪鬼でもあった。あるとき釈迦が彼女の一番下の子どもを隠すと、ハーリティーは気も狂わんばかりとなった。子を思う母の気持ちを理解したハーリティーは以後子授けと子育ての守護神となる。

ガンダーラ出土のパーンチカとハーリティー坐像（二〜三世紀）の、左手に赤ん坊をかかえて、夫パーンチカの隣に腰かけているハーリティーの乳房は、参拝者に触られてか、黒々とつやめいている。よく見ると、衣をまとっているのだが、赤ん坊の口元の先には乳首がみえている。あるいは、上向きの牙を生やし、鬼神然とした一面四臂のハーリティー単身像（五世紀）においても、衣ごしに乳首のすけた乳房が象られている。

図2　パーンチカとハーリティー坐像（図録『パキスタン・ガンダーラ彫刻展』、2002年）

これが日本にやってくると、訶梨帝母あるいは鬼子母神ということになるのだが、総じて胸はぺったんこになってしまうのである。奈良、東大寺の訶梨帝母坐像（一二世紀）は、大きく衣の胸元をひらいて、左手で赤ん坊を抱いているのだが、その胸は文字通り真っ平らなのである。胸のふくらみどころか、乳とよべる部位が存在していないかのような無頓着ぶりである。乳房に関わりたくなければ、こんなにも深く襟元を開いて見せる必要はないのに、その上であえてのぺったんこぶり。徹底している。

インドで女神像がもっていた乳房表現が日

本でなくなってしまうのは、鬼子母神の場合だけではない。鎌倉の鶴岡八幡宮の弁財天坐像（一三世紀）は、腰布で下半身を隠しつつも、全裸姿につくられ、着せ替え人形のように着物を着つけるようにつくられた裸形像である。上半身に関しては、まさに一糸まとわぬ姿なのだが、それなのに胸元の表現は驚くほど淡泊である。菩薩像はどんなになまめかしく女性的であっても性別は男性だから乳房を持たないのは当たり前である。しかし、弁財天は女神像であるから、女性性を明らかにしてもいいはずなのだが、それでも仏像彫刻の定式に従って乳房の表現はなされなかった。わざわざ裸体につくったというのに、衣を脱がせたらエロティックな乳房が覗き見えるなどという趣向にはまったく興味がなかったらしい。むしろ乳房表現を廃することで両性具有性が生まれ、性別を超越した崇高な姿となったということになるだろうか。

ところがすべての神仏の彫像が、乳房の表現をもたないかというと、そうでもなくて、鶴岡八幡宮にほど近い、江ノ島にある江島神社の妙音弁財天像には、美しくすてきな乳房が象られているのである。本像を調査した堀口蘇山は、『江島・鶴岡 弁財天女像』（芸苑巡礼社、一九五三年）において、「胸の勾配は清滝の如くに浄く、手で摩つて見たいような乳房の脹（ふく）らみ、指先で摘んで見たいような乳首、手のひらでそうつと撫で廻して軽く叩いて見たいような感じのする腹部」と表現している。実に美しくも愛らしい体つきである。本像も鶴岡八幡宮の弁財天像と同様に、衣を着せるつもりで裸形につくられたはずだが、現在は、裸のままで祀られている。

江島神社のホームページには、「「裸弁財天」ともいわれ、琵琶を抱えた全裸体の座像です。女性の象徴をすべて備えられた大変珍しい御姿で、鎌倉時代中期以降の傑作とされています」とあって、「女性の象徴をすべて備え」ているというのだが、果たして、本像には陰部までもがごく細かく掘り出されているのであった。堀口蘇山いわく、「臍下三寸、両脚山中の秘部は〇〇も、〇〇もくつきりと刻出されてある。その人間的な余りにも人間的な純写生的芸術は日本唯一のピカ一なりと称しても敢て誇張的ではなからう」。この「〇〇」は、おそらく検閲のために抜かれたのではなくて、堀口自身による意図的なおぼめかしであろう。というのも、あとに「秘部」という項を別に立てて念入りにこれを解説しているからである。ただし、この項に連動する口絵は、仰向けに寝かせて股間を正面から撮った写真なのだが、「その陰部が余りにも写実的であつて本物と同様な為に、その陰穴、核子、囲りの肉付等に大きい紙を貼つてそれを隠して製版」してある。実は、この本を出すにあたって、堀口蘇山は、わざわざ警視庁保安課に赴き、「法令に触るるかどうかを質し」ている。しかし「出版した上でないと法令に触れるかどうかは今は言えないの一点張り」で埒が明かなかったと、保安課に対するさんざんな悪態を『中外日報』(昭和一八年二月一八日発行)に掲載している。結局、本書の出版後におとがめにあった気配はなく、入念な写真操作によって事なきを得たのであろう。それにしても、あまりに写実的であるから、あえて紙で貼って隠したにもかかわらず、「読者はそのつもりで想像して写真を良く見て下さい」と告げているところなど、なかなかに蠱惑的である。はじめに「〇〇」とおぼめかしたにもかかわらず、後半には、「陰穴」「核子」などの語のオンパレードであるのも、ちぐはぐで可笑しい。

たとえば「臍の穴、秘部核子の下の孔、膣門の毳の三者はその自らが持つ。持ちまえの形を写実的に彫り込んだ刀の扱い方、核子を包む秘部の囲りを脹らみつけた豊艶な肉取等に於ては遉がのロダンも素足で逃げるであらう」と讃え、この「母親にさい見せない女の大切な秘部を斯くまで忌憚なく写実し得た」作者の苦労を案じ、「夜間熟睡の時の写生であつただらうか、八、九歳の乙女子の陰部であるから或は写生には今私共が心配する程に苦労はしなかつたかも知れない」と勝手な思いをめぐらす。堀口によれば、これは八、九歳の童女の肢体だというのだが、それでいて、「手で摩って見たいような乳房の膨らみ、指先で摘んで見たいような乳首」だというのだから、ずいぶんと倒錯的である。ちなみに一九六〇年刊行の堀口蘇山『関東裸形像』(芸苑巡礼社)には、陰部をうつした図版が修正を施さないままに掲載されているのだが、実は一九五三年刊の『江島・鶴岡 弁財天女像』にも付録が挟み込んであって、「国宝以上の至宝」とハンコの押された二つ折りの和紙をめくると、なんと口絵では紙を貼って修正をほどこしたはずの陰部のどアップ写真がでてくるしかけになっていたのだからまったく隅に置けない人なのであった。

『関東裸形像』に収められた口絵のうち、とりわけ奇態なのは、堀口が全裸の女性に鶴岡八幡宮の弁財天像と同じかっこうをさせて写真をとっているものである。鶴岡八幡宮の弁財天像は腰巻をつけているのだから、なぜ生身の人間のほうが全裸でなければならなかったのかは謎だが、ともあれ、生身の女性の写真のほうは、顔と陰部に紙を貼って修正が施されている。それなのに乳房は隠されてはいないのであるところで陰部の造形は、強い霊力の現れであるから、インドで、男根をシンボリックに象ったリンガと女陰をあらわすヨーニに呪的な力をみるなどは、世界の広汎にみられる民間信仰である。したがって、江島神社の妙音弁財天像が衣を着ていたとして、外からは肉体の気配も見えない像であったとしても女陰を持っているというだけで、霊力のある像だということがいえるのである。見えること、拝むことを目的として作られたというよりは、そこに女陰が存在すること自体に意味あるのである。

インドのリンガとヨーニが、男根と女陰の性器部分のみを象っているように、ヨーニの先に乳房のあるなしは問われない。にもかかわらず、江島の妙音弁財天像が、乳房を象っているのは、いったいなぜなのだろう。これまで仏像、神像はあれほど乳房に冷淡だったというのに、なぜ突如として乳房を表現しようと思い立ったのか。

乳房はエロスの対象か

ここで問題となってくるのは、出してはダメな陰部をこっそりと掘り出した江島の妙音弁財天像が乳房の表現を持っているということは、やはり乳房もエロティックな欲望を表したものだといえるのかどうかということだ。

ラジャシュリー・パンディは、『香る袖ともつれた髪——中世日本の物語における肉体、女性、欲望』(Rajyashree Pandey, *Perfumed Sleeves and Tangled Hair: Body, Woman, and Desire in Medieval Japanese Narratives*, Honolulu: Univ. of Hawai'i Press, 2016.) において、『源氏物語』における性的肉体の問題について論じて、ズバリ、衣を脱いで裸になったからエロティックだというわけではまったくないと断言している。というのも、衣はハダカを隠すものというよりは階級をあらわす社会的、文化的な実体であるから、それを脱がされる姿というのは、たとえば戦乱状態を描く「平治物語絵巻」などの表現になる。それはエロティックという意味で裸なのではなく、階級秩序の喪失として表現されているというのである。

たしかに『源氏物語』には、何カ所か女の乳房についての描写があり、しかも男がこっそり覗き見(垣間見という)をしたときに見てしまうシチュエーションがあったりもするのだが、おっぱいが見えてうれしい!というふうには描かれていない。

たとえば「空蝉」巻に、空蝉と軒端荻が碁をして遊んでいるところを光源氏が垣間見する場面がある。空蝉の姿は、光源氏のいるところから死角となっていてよく見えない。その代わり、空蝉の義理の娘にあたる軒端荻のほうは正面からよく見えている。

> 白き薄物の単襲、二藍の小袿だつものないがしろに着なして、紅の腰引き結へる際まで胸あらはに、はうぞくなるもてなしなり。
>
> (『源氏物語』㈠「空蝉」巻　岩波文庫、二〇一七年。適宜表記を改めた。)

暑い日で、軒端荻は、薄手の単に小袿をひきかけて、袴の結紐のあたりまで胸をはだけている。乳房も丸見えになっているのだが、それを見てもわくわく感はまったくない。それどころか、だらしがないな（はうぞくなるもてなしなり）と源氏は思うのである。胸をあらわにした姿は、魅力的ではないのである。そんな軒端荻について、すてきな人だな（をかしげなる人）と思う部分もある。それはどこからくるかといえば彼女の髪の美しさなのである。

いと白うをかしげにつぶつぶと肥えてそぞろかなる人の、頭つき、額つき、ものあざやかに、まみ、口つきいとあいぎやうづき、はなやかなるかたちなり。髪はいとふさやかにて、長くはあらねど、下がり端、肩のほどきよげに、すべていとねぢけたる所なくをかしげなる人と見えたり。

（『源氏物語』㈠）

軒端荻は、色白で、かわいらしく、ぽちゃぽちゃと太っていて大柄な人である。頭の感じ、おでこの感じがよく、目元、口元がチャーミングで派手な顔立ち。しかし美人であることについて「をかしげなる人」だという感想が接続するのではない。大事なのは髪である。たっぷりとした髪で、それほど長くはないが、顔のサイドで短めに切りそろえている下がり端が肩にかかっているのが美しいという。髪は長くはないのだが（長くはあらねど）とわざわざいうのは、本当は長い髪のほうがいいからである。この美しい髪の描写があってこそ、ようやく、すべてにおいてねじくれたところがなく魅力的な人と見える（すべていとねぢけたる所なくをかしげなる人と見えたり）、ということができるわけだ。

『源氏物語』には、紫の上の乳房の美しさを愛でる場面もあるのだが、それは男性が見ていない、女同士の空間でのことである。光源氏が須磨、明石蟄居中に孕ませた明石の君の娘は、正妻格たる紫の上に引き取られた。そのようにして出生を格上げし、のちに天皇の后とする。まだ幼い姫君を手にした紫の上は、かわいがり、懐に入れてお乳を吸わせてみたりする。

……懐に入れて、うつくしげなる御乳をくくめ給ひつつ、たはぶれゐたまへる御さま見どころ多かり。

（『源氏物語』㈢「薄雲」巻　岩波文庫、二〇一八年）

出産経験のない紫の上の乳房は「うつくしげなる」ものとして表現されているのだが、これを「見どころ多かり」と見ているのは女房たちである。ここでの乳房もまたエロティックなものとして表現されているわけではない。

『源氏物語』に限らず、多くの宮廷物語において、乳房が描かれる場面では、たいてい乳首の黒ずんでいることを言い、妊娠の事実を示すものとなっている。例えば、『源氏物語』のあとに書かれた『狭衣物語』では、母親が娘（女二の宮）の妊娠を知る場面に乳房の表現がある。

暑い時期で、女二の宮は透けるような薄物の衣を着て、自分の腕を枕に伏せっている。久しく髪を梳いていないのだが、それでももつれたところもなくゆらゆらつやつやとしているのが、寝そべる彼女のもとに延べられている。額のまわりの髪がわざとそうしたかのように色白の顔にこぼれかかっている。こんな髪の描写が母親の視線に捉えられている。
寝ころんでいるから、胸元の襟が開いて、そこから乳房がのぞき見えた。

うちみじろきて苦しと思したるに、汗も押しひたしたるやうに見えたまへば、近う寄りてうちあふがせたまへるに、単衣の御衣（おんぞ）の胸少しあきたるより、さばかりうつくしき御乳（ち）の例ならず黒う見ゆるに、心さはぎせられながら目とどめさせたまへれば、隠れなき御単衣にていとしるかりけり。

（新編日本古典文学全集『狭衣物語』①「巻二」小学館、一九九九年）

「こんなにも美しい乳房が、様変わりして黒く見えて」（さばかりうつくしき御乳の例ならず黒う見ゆるに）とあるように、乳首が黒くなっている。それではじめて母親は娘の妊娠を知るのである。このようにして、乳首の色で妊娠を知る場面がさまざまな物語に描かれている。その乳房はいかに美しくても、エロティックな乳房として表現されているとは言えない。そもそも、乳房を出すというしぐさ自体、宮廷社会においては乳母（めのと）のするものであった。生みの母は子育てのための授乳はしないから、同じころに子どもを産んだ女房を乳母として雇った。そうすることで母親をすばやく妊娠態勢に戻し、次の出産を促したのである。授乳のために乳房をさらす姿とは、女房クラスの女性のイメージであった。授乳する姿に崇高なイメージを与えたマリア像とは、根本的に異なっている。マリリン・ヤーロム『乳房論』によると、授乳するマリア像は、一四世紀フィレンツェで急速に広まったが、ちょうどこの時期は、凶作とペストの流行による食料危機に重なるという。マリアの聖なる乳房は、古代ギリシアをはじめとする女神像が乳房を豊穣の象徴としたのに発想としては近い。

しかし、日本の宮廷社会での乳房は、まずは階層の問題として考えねばならない。乳母は、姫君に奉仕する侍女なのであって、物語世界の主役になる女性たちではないから、たとえば垣間見してじろじろと見られるようなエロスの対象としてとりたてて描かれることはほぼない。垣間見してまで覗き見たい女のエロスが女房クラスの女性像であってはならないのである。逆に言えば乳房を覗き見た喜びなどを表現したとしたら、その女君は女房並みになってしまうということになるわけだ。

女の美しさはどこにあるか

では、美しき女主人公たちは、いったい何を愛でられているのか。『源氏物語』で光源氏最愛の女性、藤壺は、次のように描写されている。藤壺は、光源氏の父、桐壺帝の后だが、光源氏との密通によって身ごもってしまう。表向きは天皇の皇子として育つので、のちに冷泉天皇として即位し、実の父を知った冷泉帝によって、光源氏は太上天皇に准じる位にのぼり栄華を手に入れるのである。

藤壺の生んだ子が、自分にそっくりだったのを知った光源氏は密事が露見することをおそれているが、それでもなお藤壺への恋情はやまず、ついに局に忍び入る。様子のおかしい藤壺を案じた女房たちが入ってくる気配があったので、秘密を知る女房はあわてて光源氏を押し入れのようなところへ隠す。やがて、再び人が少なくなって静まったころ、光源氏は抜け出して屏風の裏から藤壺の様子を覗き見る。

> 世の中をいたうおぼしなやめるけしきにて、のどかにながめ入り給へる、いみじうらうたげなり。髪（かむ）ざし、頭（かしら）つき、御髪（みぐし）のかかりたるさま、限りなきにほはしさなど、ただかの対の姫君にたがふ所なし。
>
> （『源氏物語』㈡「賢木」巻、岩波文庫、二〇一七年）

光源氏の突然の来襲に驚いた藤壺は、憂い顔で外を眺めている。その様子がとてもかわいらしい（いみじうらうたげ）という。そして、髪の感じ、頭のかたち、髪のこぼれかかる様子、この上ない美しさなどが、光源氏が正妻として迎えた藤壺の姪、紫の上（対の姫君）に瓜二つだという。似ているところとして挙げられているのは、髪である。つまり髪こそが女性の美そのものなのである。

平安美女たちが髪を長くのばしていて、いやでもまず髪が目についてしまうから愛でているというわけでもない。『浜松中納言物語』という、中国の宮廷とからんだ壮大な輪廻の物語では中国風に髪を結い上げた女性をほめている。亡き父が中国の皇子として転生していると知った中納言は中国へ渡り、唐土の帝の后と恋に落ちる。后と関係して子どもを孕ませるのだが、中国の女性の髪型は、鶴岡八幡宮の弁才天像に似て、結い上げているのである。

それでもなおこの后の美しさをいうのに、わざわざ髪に言及している。年の頃は二十歳ぐらい。顔は、細くもなく、ふっくらとしているのでもなく、ほどよい感じである。鼻が高いのだろうか、「中すこし盛りたる心地して」とある。肌の色は白くて、かわいらしく、眉が高貴な感じで、唇は丹を塗ったように赤い。すこしも欠点がなく、魅力があふれ出すようで、髪上げ姿がうるわしい。

そこで中納言は髪をとおして、日本の女性と比べてみる。

> 日本（ひのもと）の人は、ただうち垂れ、額髪（ひたひがみ）も縒（よ）りかけなどしたるこそ、わがかたざまに、なつかしくなまめきたることなれ、と思ひ出づるに、うるはしくて、簪（かむざし）して髪上げられたるも、人がらなりければにや、これこそめでたく、さまことなりけれ、と見るに、ものの音（ね）さへ世に知らず聞こゆるに、若き女房七八人ばかり、天降（あまくだ）りけむ乙女（をとめ）の姿かくやと見えて……。

（新編日本古典文学全集『浜松中納言物語』「巻第一」小学館、二〇〇一年）

日本の女性は、ただ髪を垂らしていて、額髪をよっているものだが、簪をさして髪上げしている姿も、后の人柄のせいだろうかまさに美しいと言っている。女房たちも髪上げ姿なので、それを天女が降りてきたようだと言うのである。髪上げ姿といえば、日本では、それこそ吉祥天や弁財天、あるいは天女の像などに見られる姿だからであろう。

むろん、髪が美しいからエロティックだというのではなくて、エロティシズムの表現として髪の描写があるということだ。ラジャシュリー・パンディは、「髪は、衣と同様に、とりわけて肉体の美しさとエロティシズムが示される場なのだ」（前掲書）と述べている。つまり、髪あるいは衣は、肉体の美やエロスをいうためのメトニミー（換喩）なのである。

たとえば、ラジャシュリー・パンディは、『源氏物語』の六条御息所の生霊の例を挙げている。光源氏の愛を失った六条御息所は、嫉妬と絶望のあまり生霊となって、出産を控えた光源氏の正妻葵の上を襲い、とり殺してしまう。

生霊になるとは、身から魂がふわふわと出ていってしまう状態のことだ。身はたしかに自邸にあるのに、身から離れた魂が、葵の上の病床にいる。葵の上にとり憑いた六条御息所は、光源氏を呼びだし、物思いする人の魂はほんとうに身を離れていってしまうようですね（物思ふ人のたましひはげにあくがるるものになむありける）と言って、次の歌を詠む。

なげきわび空に乱るるわが魂（たま）をむすびとどめよしたがへのつま

話をしているのは葵の上の肉体だが、その声はまさしく六条御息所のものだと光源氏は気づく。夢から覚めた六条御息所は、体中に葵の上のもとで物の怪調伏のために焚かれていた芥子の匂いがまつわりついているのを感じる。

パンディは、先の歌が、身から離れて彷徨う魂を「身」ではなく、打ち合わせた衣の下前の裾（したがへのつま）に結び留めてほしいといっている点に注目し、衣が身のシネクドキー（提喩）として機能していると指摘している。古典語の「身」は、肉体という意味でもあり、また自己の意味も含み持つのだが、そうした「身」について語ろうとするときに、表に現れるのは衣なのである。

したがって、女性美として、髪の美しさをいうのは、つまり肉体の魅力を讃えていることになるのである。もっといえば、肉体への欲望を表現していることになるのだ。その場合の、肉体への欲望は表現としてはのぼってこないのだから、具体的に肉体のどの部分への欲望かといった議論をすることはできない。少なくとも、そこには乳房こそがエロティシズムの源泉であるといえるものはなにもないのである。

とすると、江島の弁財天像は、股間に隠された秘部を彫り込んだことを暗示するために、乳房を象ったのかもしれない。そうして乳房にエロスをみる方向へ一歩踏み出していったのではないかと妄想されるのである。

第二回　そのエロはだれのものか——現存最古のエロティカ

裸体美術の世界観

昭和二三年といえば、日本の敗戦からわずか三年後なのだが、この年の三月に『日本裸體美術全集』(富岳本社、一九四八年)なる実に蠱惑的な一書が出版されている。試みに、天平・藤原時代から江戸中期までの作品を集めた第一巻第二巻が合本となった一冊を手にしてみると、天平時代代表の第一図は、中宮寺所蔵の弥勒菩薩半跏像であり、第二図に広隆寺の弥勒菩薩半跏像が収められている。たしかに中宮寺の弥勒菩薩半跏像は、解説にあるとおり、「その上體は一糸も着けず、全くの半裸で」はあるのだが、そういう話でいえば、第四図に挙がっている不動明王などもそれに当たるということになってしまうのであって、これはちょっとあまりにも詐欺っぽいのではないのかと呆れるものの、言われてみれば確かにこれも「裸体」の美術なのであるから文句のつけようもない。

広隆寺の弥勒菩薩半跏像の解説には、次のようにあって、事実、なかなかにそそられる書きぶりでもある。

白魚の如き右手の指が、微かに豊頬に觸れるか觸れないかに位置されるその微妙な線、やや扁平を思はせる左手の掌で軽く半跏の右脚を支へ、上半身全裸の息づける胸の邊り、肩の線の流れ、寛かに腰以下を包む裙裳の衣襞も簡素で美しい。思惟の相好も中宮寺の彌勒菩薩の規模をやや小型に、殆ど同じ作者かと疑はしめるまでに似通ふた作風で「謎の微笑」はこれにも現れて其特長を見ることができる。

(『日本裸體美術全集』第一、二巻。適宜表記は改めた。)

ことによると、昭和三五(一九六〇)年八月に、広隆寺の弥勒菩薩半跏像にキスした拍子に右手の薬指を折ってしまった京大法学部の男子学生は、この『日本裸體美術全集』に触発されたのではないかと、妄想逞しくしてしまうところだが、少なくとも、広隆寺の弥勒菩薩像には、そうしたなまめかしさを感じ取る見方が流通していたのに違いない。エロスのイメージは広く伝播して成るものであって、単発的、突発的には人は発情しない。

第五図に鎌倉鶴岡八幡宮の弁財天坐像、第六図に伝香寺の裸形地蔵像が鎌倉時代の作として紹介されたあとは、江戸時代の作として、ちょっとばかり着物のはだけたつつましい浮世絵のオンパレードとなる。和紙に刷りあげたこの美しい豪華本は、春画まがいのものなどは一切含まない、あくまで格調高い書物なのである。

ところが、この本は昭和六(一九三一)年に高見澤木版社から全六巻で出された同名の本からの抜粋版だったのである。昭和六年版のほうはだいぶ分厚く、第一巻「飛鳥天平藤原期」には八一点もの図像が収録されているし、第二巻「鎌倉足利桃山徳川初期」には「松崎天神縁起」「病草子」などの絵巻物をふんだんに紹介し、八三点の図像を収めている。ここから二六点を選んだものが抜粋版だったというわけである。抜粋版第一図にあがる中宮寺の弥勒菩薩像は正面からの全体像の写真が載るのに対し、昭和六年版は右手側からの横顔の半身像の写真を載せているなどいくつかの差異がみられる。

ところで、このような本を出版するにあたっては、やはり裸体とエロが議論の的であったらしい。昭和六年版の付録についてきた「日本裸体美術内報」第一号で、井上和雄は「裸體画私感」として次のように書いている。

近頃流行のエロチシズムは、スパニツシユ・インフルエンザよりも強烈な勢ひで、全く文字通りに世界を風靡するに至つた。善いことか悪いことか、それは其の道の識者の意見に任すとして、私一個の考へから言ふならば、今さら事新しくエロなどを問題にする程のことはないと思ふ。また実際、それは一時的現象にとどまるものではなくして、人類の絶滅せざる限り、未来永劫つきまとつて行く所の、衣食問題と共に、寧ろ益々深刻化し複雑化して行くものと思ふ。

ところで、よく混同され易い事は、エロと裸体画に対する観察である。現に最近にも、裸体画即エロチシズムといふ解釈を下した一例に接して、私は少々面喰つたのである。今これを俗わかりするやうに説明するならば、エロは色気本位で、往々劣情挑発的の手段を弄してまでも、観者の興味をそそらうとするもの、故に「厭らしい身振り」を殊更に目立たしむるやうなものが多い。斯様なものこそ当局の取締りを要するので、私に言はせれば、もつと徹底的な秘画そのものの方が、遥かに推賞に値するものと思ふ。
裸体画のうちには、エロと非エロとの二種があつて、十把一からげに裸体画即エロといふのは余りに暴断である。

スペイン風邪よりも烈しい勢いでエロが広まっているという。エロと比べるのもいかがなものかと思うものの、スペイン風邪の流行からすでに一〇年以上経っていても、大流行をいうのにいまだインパクトのある比喩だったのであろう。井上和雄は「裸體画神聖論者」を自認し、その上で春画について論じていくのだが、一言でいえば裸体画は「神聖」な芸術であって「エロ」じゃないということだ。

『日本裸體美術全集』の作品解説を手がけている明石染人は「飛鳥寧楽時代の工藝品に現はれたる裸體美」という論考を寄せ、日本美術は、ギリシャ、ローマの芸術とは違って「裸体」といっても「半裸体」にすぎないのだといっていて、それでも平安期中期以降作例がみられなくなっていくのだと述べている。なるほど中世の絵巻のあとで江戸の浮世絵がでてきてしまうのはそういうわけなのである。明石染人は、先に挙げた広隆寺の弥勒菩薩半跏像の解説を書いているのだが、実は彼が熱烈に愛して止まないのは中宮寺の弥勒菩薩像のほうであったらしい。昭和六年版には、「低徊黙思私はこの像の前を立去ることができない。舊作の詩などが思ひ浮べられる」と書いて自作の詩を掲げ熱い称賛を示している。

幻の聖像

夢をはしる妖魔の幻にもにたる美！
伝奇的なまた刹那的な美ではない
だがたしかに夢のうちに過ぎり去る
妖魔の幻にも似たる美。
爾のやはらかき微笑は
絹びろうどの如く、
思惟にふける瞼は
叡智を秘めてとざされ、
人の世の情にけがれない
聖女の浄い膚の匂、
そと頬杖つける右のかひなの
蠱惑的なる輪郭
（中略）
つくづくと横顔を眺める、
聖像の放射するゐゝてる！

そこにある攪拌を感ずる。
たゞ女性のみがもつ美のみを
具象したのではない。
性を超越し
むしろ男女を総和したる
「美」そのものであつて
ぬけがらのごとき「美の化身」ではない。
そこにわれわれの
限りなき興奮と懊悩がある。
幻の世界に呼吸する人々にとつては
まさしく
夢をはしる妖魔の美である。

明石染人は、弥勒菩薩像は「性を超越し」ているのだといいながら、そこにあきらかに女性性をみている。「妖魔」とくり返し、憑かれたような魅力を感じていることがわかる。この詩のごとき熱情こそが、まさに広隆寺の弥勒菩薩にキスをした青年のなかにもあったものだと妄想されてならない。「舊作の詩」といっているのだから若い青年時代の作なのかもしれない。残念ながら昭和二三年の抜粋版には、この詩は再録されなかった。

つまり「裸体美術」とは、身体の曲線のしなやかさやなめらかさ、指先の繊細さなどに感じ取られる美をいうのであって、性器的身体を意味しない。戦後の裸体美へのこの崇高なまなざしを思うに、江島神社の妙音弁財天像はずいぶんと直接的な表現をとったものだと、あらためて感心してしまう。

平安時代と比べても鎌倉時代というのは表現がより具体的であからさまになっていく時だった。平安宮廷の内輪に閉じた価値観がたわんで、鎌倉時代には表現が率直にも自由にもなったが、それはむしろ、暗黙の了解を分かち合えない人たちに理解させるために、くどくどと言わずもがなのことを言い始めねばならなかったということだったのかもしれない。

性器を大胆に描いた元祖春画ともいうべき肉筆春画が、そろって鎌倉時代の作であったのも、おそらくは江島神社の弁財天像の出現と重ねて考えてみるべきことなのだろう。肉体への欲望を衣や髪の美しさで言い換えた平安時代の表現など、鎌倉時代にはもはや理解不能だったのかもしれない。京の都を遠く離れて東国に鎌倉幕府が誕生した時代の変遷は、抽象から具体へと向かわせる契機となった。具体的に肉体そのものを表現すること。東大寺の南大門に立つ運慶、快慶による仁王像の筋肉表現を考えてみても、この類推はあながちはずれていないように思われる。

そんな時代に性器的身体を描く春画が成立するのもむべなるかなと思えてくる。鎌倉時代の春画は、「稚児之草紙」「小柴垣草紙」「袋法師絵詞」の三点があるが、「稚児之草紙」はまた別の回で取り上げるとして、ここでは「小柴垣草紙」と「袋法師絵詞」について考えてみたい。というのも、まるで江島神社の弁財天像に乳房と性器を作り込んでしまったことに呼応してるかのように、これらの春画はことさら女の性器に焦点化した作品だからである。

神秘の「小柴垣草紙」

「小柴垣草紙」は、寛和二（九八六）年に実際に起こった伊勢の斎宮の密通事件を下敷きにしている。

伊勢神宮に斎宮として勤める女君は、未婚の皇女から選ばれるのだが、寛和二年に斎宮に卜定されたのは、醍醐天皇の孫で章明親王の娘、済子（なりこ）女王であった。斎宮に選ばれると、伊勢に下向する前に、一年間、京都の野宮神社にて潔斎のときを過ごす。未婚でなければならないのだから、斎宮に男性関係があってはならない。ところが、野宮神社の警護にあたっていた滝口の武士、平致光（たいらのむねみつ）と関係してしまう。済子女王の伊勢行きは中止となり、この事件をきっかけに警護として滝口の武士を置くことを廃止したという。

説話集『十訓抄』（一二五二年）で確認しておくと、次のようにある。

寛和の斎宮、野宮におはしけるに、公役（くやく）滝口平致光とかやいひけるものに名立ち給ひて、群行もなくて、すたれ給ひけり。
　それより野宮の公役はとどまりにける。
（新編日本古典文学全集『十訓抄』「中五ノ十」小学館、一九九七年）

男性との性的関係を排した暮らしを強いられる斎宮は、男にとっては絶対の禁忌であるゆえに、ぜひとも関係してみたい女の筆頭となるわけで、女ばかりの暮らしのなかでどんなにか男との性的関係に飢えているかと妄想させる存在なのである。となれば、斎宮との密通物語が世にあふれるのもこれ必定である。

「小柴垣草紙」にはおびただしい写本があって、せっせと増殖させた痕跡が明らかなのだが、一方で、鎌倉時代の作品については、現存するにもかかわらず未だに神秘のヴェールに包まれている。出光美術館に鎌倉時代の一本の所蔵が確認されるものの、図録に載る巻頭場面のみが知られるばかりである。

その他、二〇一五年秋に永青文庫で開催された春画展に鎌倉時代の作が一本出品され、図録に二図を載せている。ただし所蔵者は明らかにされていない。春画展出品の一本は、出光美術館本と同様、詞書三段に絵が十段で構成が一致しているわけだが、いったいこれが出光美術館本とは別の一本なのか、はたまた同じものなのかは確認できない。つまり、この世に鎌倉時代の「小柴垣草紙」が二本あるのか、あるいは一本しかないのかさえもわかっていないのが現状である。そういうわけで「小柴垣草紙」はまさに妄想力を十全に駆り出さねば論じられない難物なのである。実態が明らかにならないのは、所蔵者がそれを秘匿しているからである。そもそも肉筆春画とは、そのように厳重にアクセス権を管理し、見る者の特権を確保した上でありがたがるものなのである。

江戸時代の写本を含めて、「小柴垣草紙」には男女の逢瀬が一夜限りのものと、再訪し二度の逢瀬を描くものとの二種類の系統がある。井黒佳穂子「『小柴垣草紙』の変遷」(『テキストとイメージの交響――物語性の構築をみる』新典社、二〇一五年)の整理にならっていえば、逢瀬が一度のものは詞書が三段から五段で構成される「短文系」であり、二度の逢瀬を語るものは、別名に「灌頂絵巻」と呼ばれるものも含め十一段から十三段の詞書をもつ「長文系」である。長文系の冒頭には、次のようにあって、実在の事件を下敷きにして語りはじめている。

寛和の頃滝口平致光とて聞えある美男、ならびなき好色あり。見る人恋にしづみ、聞く者思ひをかけぬはなかりけり。斎宮、野宮におはしましける公役に参りたるを、御簾の中より御覧じければ、見目有さま、所のしなじなすきて、はれやかなる姿、世の人に勝れて見えけるを、男の影さす事もまれなるに、たまたま御覧じける御心のうち、いかが思しめしけむ。

(林美一、リチャード・レイン『定本浮世絵春画名品集成一七 秘画絵巻【小柴垣草子】』河出書房新社、一九九七年。適宜表記を改めた。)

ところが、鎌倉時代の作である出光美術館本の冒頭には、この段はなく、長文系の第二段にあたるところからはじまっている。短文系が先に成立したと推定されているから、物語はもともと実在の事件とは無関係に、アノニマスな斎宮と滝口の武士との関係を描こうとしていたのであろう。読者は、実際の事件よりもむしろ『伊勢物語』を想起して読んだに違いない。詞書五段を有する短文系の江戸の写本では、最後に「このこと世に漏れきこえけるゆへに、寛和二年六月十九日に伊勢の御くだりとどまりて、野宮よりかへり給ひにけり」と寛和の斎宮の事件を扱っていることを明かすのだが、この暴露の方法自体、『伊勢物語』のやり方によく似ている。

『伊勢物語』は『源氏物語』と並んで、土佐派、狩野派、琳派の美術品にくり返し取り上げられ、安土桃山時代から江戸時代に至るまで常に馴染みのある主題だった。『伊勢物語』は、后や斎宮との密通など禁忌の恋を描いたことで知られるが、六十九段「狩の使」の章段に、伊勢の国で斎宮と関係する男が登場する。やはり物語の最後に「斎宮は水の尾の御時、文徳天皇の御女、惟喬の親王の妹」と明かして、恬子（やすこ）内親王のこととして実在の人物に結び付けている。

『伊勢物語』六十九段と短文系「小柴垣草紙」の双方の斎宮密通物語に共通するのは、女のほうが誘いかけている点である。『伊勢物語』では、女は親に言われたとおりに、この使を懇ろにもてなしていたのだが、ある晩、男に「逢おう」（あはむ）と言われて、女は逢わないとは思っておらないものの（あはじとも思へらず）、しかし人目が多くてなかなか逢えそうになかった。皆が寝静まった真夜中、女が「男のもとに来たりけり」というので、「男、いとうれしくて」、迎え入れるが、丑三つ時に女は帰っていってしまった。そして、かの有名な歌が女から贈られてくるのである。

君や来しわれやゆきけむおもほえず夢かうつつか寝てかさめてか
（あなたが来たのでしょうか。私が行ったのでしょうか。よくわからないのです、夢なのか現実なのか、眠っていたのか目覚めていたのか）

男の返し。

かきくらす心のやみにまどひにき夢うつつとは今宵さだめよ
（悲しみにくれて真っ暗な心の闇をさまよっています。夢だったのか現実だったのかは今宵、見定めてください）
（新編日本古典文学全集『伊勢物語』「狩の使」小学館、一九九四年）

男女の逢瀬というものは、男が女の元へ通い、翌朝、男が女の元へ後朝(きぬぎぬ)の歌を贈るのが通例である。ここでは、それが逆転していて、女が男を訪ね、女の方から歌を贈っているのである。男女の役割をひっくり返して、わかりやすくもあからさまに斎宮の積極的な性を描いているわけである。

男は、今宵また逢おうというつもりで返歌をおくったが、二度目の逢瀬はないままに尾張の国に旅立って行った。ただ一度の逢瀬を描いた「小柴垣草紙」の短文系の構成と実によく似ている。

ところで『伊勢物語』「狩の使」章段で、男はなぜ尾張の国に向かったのだろう。本橋裕美『斎宮の文学史』（翰林書房、二〇一六年）は、この章段に、ヤマトタケルの神話を読み込んで「日本武尊と倭姫命の密かな逢瀬を幻視し、狩の使章段に重ねてみる時、（中略）不遇の貴種を連想させるのである」と指摘している。

『日本書紀』の蝦夷征討譚で、日本武尊（やまとたけるのみこと）が、伊勢神宮に立ち寄り、倭姫命（やまとひめのみこと）に草薙の剣を与えられたとする挿話がある。伊勢の霊力を味方につけて蝦夷を征したのち、日本武尊は尾張国で尾張氏の娘を娶っている。『伊勢物語』は伊勢での逢瀬を描くから、なるほど伊勢に倭姫命を訪ねた『日本書紀』の挿話を想起させる。

ただし、「小柴垣草紙」の場合は、伊勢に下向する前の、野宮神社での逢瀬を描いているのだから、ここにはもう一つ別の挿話が呼びこまれてこなければならない。

もうひとつの斎宮物語

嵯峨の野宮神社といえば、「源氏物語の宮」である。事実、野宮神社側もそのように銘打っているのであり、お守りにも源氏絵を織り込んで「源氏物語旧跡」と箱書きしたものが用意されている。

『源氏物語』で、斎宮に選ばれるのは六条御息所の娘である。葵祭の日、光源氏を一目みようと出かけた六条御息所は、正妻の葵の上の従者たちに辱めを受ける。その屈辱から、出産の床にある葵の上に生霊となってとり憑き、とり殺した。我が身が生霊となってあくがれ出でた、そのことを光源氏に知られてしまう。葵の上の口を借りて光源氏に恨み言を述べていたとき、「そうおっしゃるけど、誰だかわからない。しかと名乗れ」と素知らぬフリをしながらも光源氏ははっきりと六条御息所の声であることに気づいていた。生霊となったこと、そしてそれを光源氏に知られてしまったことの恥ずかしさ、妄執の強さに悩んだ六条御息所は、娘の伊勢下向につきそって都を離れる決心をするのである。

『源氏物語』「賢木」巻で、光源氏は都を離れゆく六条御息所に会いに野宮神社を訪ねている。野宮神社の様子は次のように描写されている。

ものはかなげなる小柴垣を大垣にて、板屋ども、あたりあたりいとかりそめなり。黒木の鳥居ども、さすがに神々しう見わたされて、わづらはしきけしきなるに、神官（かむづかさ）のものども、ここかしこにうちしはぶきて、おのがどちものうち言ひたるけはひなども、ほかにはさま変はりて見ゆ。

（『源氏物語』㈡「賢木」巻　岩波文庫、二〇一七年）

野宮神社といえば、小柴垣と黒木の鳥居である。したがって「小柴垣草紙」というのは、野宮草紙と言っているのも同然なのである。

はじめはよそよそしい会話をしていたものの、来し方の恋情が思い返されて、二人は共寝する。源氏の口説き文句に、六条御息所のため込んできた恨みも消えただろうが（こころ思ひ集め給へるつらさも消えぬべし）、かえって別れる決心が鈍ってしまう（やうやういまはと思ひ離れ給へるに、さればよと、中々心動きておぼし乱る）。夜明けが近づいてくる。男の帰るときが来た。別れを惜しむようにして、光源氏は六条御息所の手をぎゅっとにぎっている。かつてはいつもこんな風だったのだ（出でがてに御手をとらへてやすらひ給へる、いみじうなつかし）。

美しい一夜の逢瀬だが、のちに、この場面が能の演目「野宮」になると、六条御息所は葵祭の屈辱を胸に妄執を語る霊となって光源氏との逢瀬のあった九月七日に網代車に乗って現れ出る。野宮神社は、光源氏と六条御息所の一夜限りの逢瀬の場であると同時に、御息所の狂わんばかりの愛欲の渦巻く場としてイメージされていたのである。

さて、それで古態を表す短文型「小柴垣草紙」はいったいどのような絵巻なのかと言えば、このようにはじまるのである。

斎宮が袴を脱ぎ捨てて、小袖一枚を引きかけて、下半身を露出したまま、縁先に座り、縁の下で寝ていた武士の顔を足でふみつけて起こす。見上げると、胸も陰部も丸見えである。

夜更くるほど、小柴のもとに臥したるところへ、いかなる神のいさめを逃れ出で給へるにか、高欄のはづれより御足をさしおろして、にくからず御覧じつる面をふませ給へたるに、あきれて見あげたれば、うつくしき女房の御小袖姿にて、御髪ゆらゆらとこぼれかかりておはします、御小袖のひきあはせしどけなきに、しろくうつくしき所、また黒くとあるところ、月の影に見いだしたる心まどひ、いはむかたなし。

(『小柴垣草紙』)

小柴垣のそばに眠る男を女の方が誘ったのは明らかである。なんといっても、斎宮は皇女なのであるし、滝口の武士とでは、女の方の身分が上なのである。したがって男は女のために奉仕する役割を負わざるを得ない。続く第二段の詞書に「御足にたぐりつくままに、をしはだけたてまつりて、舌をさし入れて舐りまわすに、つびはものの心なかりければ、かしらもきらはず、水はじきのやうなるものをはかせかけさせ給ひけり」とあって、男は相変わらず地面に這いつくばったまま、縁先に腰かける女の陰部を舐め上げているのである。構図としては、女が観者に股間を開いていて、男が後ろ姿で描かれているので、明らかに女の陰部を見せるための絵ではある。やがて、男が「七寸の切杭」を「さしあてて、上さまへあららかにやりわたす」ことになるのだが、春画展に出品された鎌倉時代の本では、男が烏帽子一つの全裸であるのに対し、女は相変わらず小袖を引きかけたままであることに注意したい(『春画展』の図録を参照されたい)。

例によって胸の表現はまったくといっていいほど見分けられない。これが、いわゆる男性観者に向けたポルノグラフィならば、女こそまず全裸にしたいところだろう。事実、江戸の写本では、さっさと男女ともに全裸になってしまうものもある。

女の妄執の地、野宮神社を舞台とする、この好色物語は、詞書はもちろん画の上でも徹底して女のための物語だった。ところで斎宮済子女王と滝口武士平致光の密通を書きとどめた『十訓抄』には、別に色好みの男が、それを上回る好色な女にすっかりたじたじとなる説話も載せている。『十訓抄』上の「一ノ四十三」話に収められた色好み土佐判官代道清の物語は、彼を光源氏か狭衣大将かという希代の色好みとして登場させている。それなのにしっとりとした恋物語にはならないパロディである。

主人への奉仕の合間をぬって、男の元へやってきた女は、どかどかと歩みよってきて「どこなの」（いづら）と「はなやかにほがらか」な声を出して、なんだか風情がない。その上、「主人が風邪をひいて、局に戻る暇もなかったけれど、こんなふうにたびたび追い返すのも悪いと思って来たのよ」と言いながら、さっさと袴を脱いでしまうのであった。男が唖然としていると、女は袴をおしやって、「さあ」（すは）と股を広げてみせた（隠れなくうちあけたり）。道清は、おどおどしながら装束を脱ぎはしたものの、下半身がどうにもその気にならない。女は「あら、見苦しいこと」（あな、むつかしや）と言って、袴を着けてさっさと奥へ入ってしまった。

自ら袴の腰ひもを解き、脱ぎ捨てて、股を開く女のイメージは、「小柴垣草紙」の斎宮によく似ている。しかも、この女、「宮腹の女房」ということになっており、皇女の娘なのである。勃たない話で笑える男はめったにいない。この説話も笑いものになっているのはどう考えても道清のほうで笑っているのは女たちである。

斎宮と尼寺と

大胆に好色な斎宮のイメージが、女だけの空間に閉ざされて男関係のないせいで出てくるものだとするならば、男のいないことにかけては尼寺も同じことである。というわけで、好色な尼の物語が当然のように出てくる。面白いことに『伊勢物語』百二段、百四段には斎宮と尼を混同するような話がでてくる。百四段「賀茂の祭」は次の話である。

むかし、ことなることなくて尼になれる人ありけり。かたちをやつしたれど、ものやゆかしかりけむ、賀茂の祭見にいでたりけるを、男、歌よみてやる。

世をうみのあまとし人を見るからにめくはせよとも頼まるるかな

これは、斎宮の、もの見たまひける車に、かく聞えたりければ見さしてかへりたまひにけりとなむ。

（『伊勢物語』「賀茂の祭」）

たいした信心もなく尼になった人があり、俗世の楽しみを捨てきれず、祭見物に来てしまう。ならば男との関係も諦めてはないのだろうと思った男は誘うような歌を詠みかける。ところが、この話の末尾はなぜか、その歌は実は斎宮の物見車に送られたものであって、そのせいで斎宮は途中で帰って行ったと明かしているのである。尼と斎宮は、どちらも俗世を捨てられず、したがって実は悶々と男との関係を待ち望んでいるのだとするイメージが形成されていたことがわかる。

鎌倉時代成立と目されている「袋法師絵詞」は、女たちばかりで暮らす尼御前の邸に、法師を連れ込んで、さんざんに使い倒す春画である。

物詣でに出かけた女房三人は、とある河原で向こう岸に渡る術がなくて立ち往生している。そこへ法師がやってきて、舟で渡してくれると思いきや、途中の小島に降ろして、袈裟、衣を脱ぎ捨てて女たちに肉体関係を要求する。若い順に三人ともに順番がまわってくるのだが、最後の一人になると、待ってましたと、「打ちはだけてけり」と自ら衣を脱ぎ、「女はもとより待ちわびたることとなりければ」勢いよく応じている。その後、太秦の邸まで送り届けてくれた法師に、女たちはなにかあったら訪ねてくるようにと言うのである。

数日後、法師は訪ねてくるが、女たちは男出入りがあると噂されては困るので、法師を大きな袋に入れて匿まった。それで「袋法師」というのである。

女房達は、尼御前たる女主人に事情を説明する。女主人は喜んで「これへ参らせよ」とおっしゃる。女主人は大胆である。「女、足を屈め、腿をひろげて、腹、腰がほどを、わななかしつつ、「これよや、これよや」というけしき、いと耐えがたげなり」といった具合い。ここでも法師のイチモツは「七寸ばかりなる黒々としたるもの」とあって、なぜか「七寸」なのである（ちなみに一寸は三・〇三センチであるから、二一センチ強ということになる）。

しかして女房たちは毎晩、女主人のよがり声を聞かされるはめとなり、羨ましさのあまり「もと、われらが恋なるうえは、御秘蔵の袋、御返しあれ」と要求するのである。かくして、三人の女房と女主人とで法師を使いまわすことになる。

ここまでの絵は詞書の説明に完全に一致した、それでいてどれも似たりよったりの春画らしい男女の性交場面であるが、一転、様相を変えるのは女主人の従妹の尼前（あまぜ）という人が出てきたあとである。女主人のほうは、尼御前といっても出家姿ではないのだが、従妹のほうは剃髪し完全な尼姿である。尼前は、尼姿であることを恥じらって、法師を袋に入れたままで「むくむくと蠢け（うごめけ）る袋の口より例のものを差し出」させて関係する。袋入りの法師とのからんでいる絵が二図続いたあと、恥じらいなど失せたとみえて袋から出て来た法師と尼が坊主頭を二つ並べて交わっている。なかなかに珍奇な図である。

さて方々引っ張りだこの法師は疲労困憊している。

(…) 根強き法師も、対にまかりてしぼられ、今、珍かなる尼前に強く用いられ、金石ならぬ身なりければ、しだいに弱りくろみ、時々目もくらみ、物だにさのみ食わで、うつらうつらとして侍るほどに、新参の時とは違い、つわもの弱々となるままに、尼前も心よからずや思しけむ。物語りせし直居の女に「裾分け」とて賜りけり。

(福田和彦編著『艶色浮世絵全集第一巻 肉筆絵巻撰【壱】』河出書房新社、一九九五年)

女主人にしぼられ、尼前に強いられ、次第に体も、「つわもの」も弱っていく。尼前は満足できず、宿直の女房に「裾分け」といって賜った。女房は喜ぶが、法師は眠ったきり起きない。まったくもって使い物にならなくなってしまったのである。

命あっての物種と思った法師は、「空死に」してみせる。ここで死なれては困るとあわてた女たちは、法衣、笠枕を賜って法師を追い出し、古寺に帰したという語りおさめである。

「袋法師絵詞」の絵については別冊太陽『肉筆春画』(平凡社、二〇〇九年)他で確認いただくにしろ、筋からみても、この物語は明らかに女のために作られていると思えるのである。春画をポルノグラフィと言い換えると、七〇年代後半から八〇年代のフェミニズムのアンチ・ポルノ運動的発想に絡めとられてしまいそうだから控えたい。

アンチ・ポルノ運動は、ポルノグラフィは、男性の性欲を満足させるために作られ、男性の暴力的な性を肯定し、男性に間違った性のイメージを与えるものであるから、この世から葬り去らねばならないと主張する。

フェミニズムは一方で、女性が性的であってはならないという桎梏をようやく逃れて、女性も積極的に性愛を志向し、相手を自分で選んでよいのだし、バースコントロールを自分で行うのが当たり前であるという価値観を手に入れたところであったから、この段において展開されたアンチ・ポルノ運動は、またしても息苦しい性のアンダーグラウンド化を進めるものでしかなかった。九〇年代後半には女性監督による女性のためのポルノグラフィ映画がつくられ、それらは、「エロティカ」と呼び分けられた。マヤ・ガルス『エロティィカ』(一九九七年)、カトリーヌ・ブレイヤ『ロマンスX』(一九九九年)、そして一九九八年には『セックス・アンド・ザ・シティ』が放映されて、奔放に性生活を楽しむ女たちを主人公とする物語がテレビドラマとして放映されはじめた。エロティックな欲望を肯定する響きにあやかって、ここでは「袋法師絵詞」と「小柴垣草紙」を現存最古のエロティィカと呼ぶことにしよう。現存最古のエロティィカは、どちらも底抜けに明るくて、下品だけれども、笑ってしまう。春画が「笑い絵」といわれたゆえんがよくわかる。

ちなみに、斎宮も尼も男性関係がないから、男性に執着しているのであって、女性同士の関係が禁じられているわけではないのは、僧坊における僧侶と稚児の関係と同様である。古典文学の世界では、性愛にヘテロセクシュアルの関係しかないとは考えていない。たとえば同じく鎌倉時代の作品の『我が身にたどる姫君』では、斎宮がお付きの女房ととっかえひっかえ性関係を結び、ひいきの女房を次々に替えるので寵愛を競って女同士が嫉妬し合うことが描かれている。斎宮でも尼でも、あるいは法師でもヘテロセクシュアルの性愛は禁じられているが、ホモセクシュアルな性愛はその限りではないのであって、つまり性愛そのものが禁忌であるわけではないのである。性欲そのものを抑え込むような無体な要請はないから、欲望を否定されないところではいつでも禁忌を踏み越えてしまえる態勢が整っている。説話集は、禁忌の恋をイケナイこととして書いているようでいて、逆にエロティックな妄想を次々に生み出すことに寄与している。そういうわけだから、斎宮や尼の男関係には、禁忌の恋の物語としての悲愴感がなく、あっけらかんとしたおかしみがあるのである。

コラム1　吉祥天女は理想の美女

吉祥天は絶世の美女だということになっている。京都、浄瑠璃寺の吉祥天女像は、数ある吉祥天女像のなかでもっとも美しい像だ。ふだんは秘仏として厨子のなかにひっそりとたたずんでいるせいで、彩色も鮮やかに残っている。右手を手のひらをまえにして下にたらす与願印にむすび、左手は上を向けた手のひらの上に宝珠をのせている。この像は、どうやら『源氏物語』が書かれた頃にはまだなかったようだが、すでに吉祥天こそが理想の女性だという認識は広く流通していた。

『源氏物語』で男たちが女性談義をする「雨夜の品定め」とよばれている段で、頭中将は理想の女性について次のように言う。

「さまざまの良いところだけをとりそろえて、難ずるべきことがまったくない女はどこにいるでしょうか。吉祥天女に思いをかけるとすれば、抹香臭くて人間離れしていて興ざめとなるにちがいありません」。

いいところばかりでまるで欠点のない女性、そんな理想的な女性は吉祥天女ぐらいしかいないが、なんといっても仏教世界の女性だし、それで楽しいおつきあいができるわけもないというのである。

現在の私たちからすると、吉祥天も弁才天（弁財天）も似たり寄ったりな気がするのだが、たとえば『今昔物語』に吉祥天の説話は三つも載っているのに対して、弁才天の話はまったく出てこないのである。鎌倉以降、物語の舞台が関東に移って、ようやく江ノ島に祀られている弁才天がでてくるようになる。『曾我物語』では敵討ちの前に江ノ島弁才天に祈りをささげる場面がある。『太平記』第五巻「弁才天影向の事」（兵藤裕己校注『太平記』㈠、岩波文庫、二〇一四年）には、北条時政が子孫繁栄を願って江ノ島（榎島）に参籠したところ、赤い袴に柳裏の衣を着た美しい女房姿の弁才天が忽然と顕われたとある。弁才天は、時政は前世で箱根の法師であったとき、六十六部の法華経を書いて全国六十六カ国の霊地に奉納した善根によって、再びこの国に生まれてきたのだと告げる。だから子孫は永く日本の主となって栄花を誇るだろう。ただし道に背くことがあれば七代以上は続かないだろう。ウソだとおもうなら、霊地を見てみよ。そうして去って行く後ろ姿を見ていたら、さしも美しかった女房がたちまちに二十丈ばかりなる大蛇になって、海中に消えた。そのあとをみると三つの鱗が落ちている。そこで時政は、その三つの鱗を家紋としたのだという。その後に九代におよぶ繁栄を得たのは、江ノ島の弁才天の利生だと語りおさめている。

ここで弁才天が大蛇に変身しているように、弁才天はどこかの段階で宇賀神と習合し、宇賀弁才天として造られる例がある。宇賀神はとぐろをまいた蛇の頭が老人だったり女だったりする像だが、宇賀弁才天は、弁才天の頭の上に老人の顔のついたとぐろをまいた蛇をのせているものだ。これではいかに美女に作られてもそそられない姿である。

吉祥天も弁才天も東大寺の法華堂に奈良時代の塑像の作例を伝えているのだが、その古いかたちの弁才天は、一面八臂の像である。この作例もかなりある。つまり左右四本ずつ、八本の腕がある像だが、これもかなりそそられない姿である。

同じく美女だといっても弁才天と比べると、吉祥天は、より人間に近い姿であり、つきあってみたいな、などということを妄想しやすい像なのであった。

そうしたわけで、吉祥天の美しさに本気で惚れてしまった僧がいたという話がでてくる。『日本霊異記』中巻第十三「愛欲を生じて吉祥天女の像に恋ひ、感応して奇しき表を示しし縁」(新編日本古典文学全集『日本霊異記』小学館、一九九五年に拠る)が語るのは、和泉国泉郡血渟の山寺の吉祥天女像なのだが、それがどのような像だったのかはわかっていない。聖武天皇代に信濃国からやってきて在家のまま仏道に入った優婆塞が、この天女の像に「愛欲を生じ、心に繫けて恋ひ」、六時ごとに願をかけた。

「天女のごとき顔よき女を我にたまへ!」という願いである。すると優婆塞の夢に、天女の像が現れ、交わった。翌朝、天女像をみてみると像の裳の腰が「不浄染み汚れ」ていたのである。僧の精液がついていたのである。優婆塞は猛省恥じ入って、「我は似たる女を願ひしに、何ぞかたじけなくも天女もっぱら自ら交りたまふ」（私は天女に似た女を願ったのに、なぜにかたじけなくも天女自らが交わられたのですか）と言った。

確かに、優婆塞は「天女のごとき顔よき女」と言ったのであって、決して吉祥天女像と性的関係をしたいとは言っていない。しかし夢のなかに出てきたのは吉祥天女像そのものであって、要するに優婆塞は彫像と交わったのである。優婆塞はこのことを秘密にしていた。

ところが礼儀がなっていないというので追い出した弟子が逆恨みして、この恥ずべき事件を里の人々に話してしまった。里人は野次馬なのである。わざわざ寺までやってきて、天女像をたしかめた。すると「淫精染み穢れ」ているのがわかった。優婆塞は隠しておくことができなくなって、ことの顛末を語った。この話の教訓は、以下の二つである。まず深く信じれば、神仏が感応してくれるということ。それから、涅槃経に「多淫の人は、画ける女にも欲を生ず」というのは、このことをいうのだということ。

まず前者の教訓は、神仏の感応はたしかにあったが、天女のような美女を望んだ優婆塞の願いが叶ったとは言い難い。当の天女像がお出ましされる必要などはなかった。むしろ勘違いなさったのではないかという疑いがぬぐえない。そこで、多淫の人は、絵に描いた女にも欲を感じるのである、と結ぶのだが、ここで勘違いがループする。優婆塞は、吉祥天女像に欲望を感じたのである、なぜなら優婆塞は多淫だからである、という話として落着させようというわけである。いや優婆塞が欲しかったのはあくまでも「天女のような美女」であったのではないのか。だんだん優婆塞が気の毒になってくる。

天女像と交わりたいなどというのはいったいどんな妄想なのだろう。新編日本古典文学全集の注には、自らがつくったアフロディテの石像に恋してしまった石工のピグマリオン神話を想起させるとある。しかしピグマリオン神話では、石像は女神のお慈悲で人間の女性に変じるのである。この場合、彫像のままの吉祥天女像と交接するというのだから、これは人形愛であって、むしろオペラ「ホフマン物語」で、歌う人形のオランピアに恋した詩人ホフマンを思わせる展開ではないか。

自らが優婆塞の性のお相手となった吉祥天女はわりと気前のいいタイプの女神で、『日本霊異記』に続けて収められている説話は「窮(せま)れる女王(にょわう)の吉祥天女の像に帰敬(ききやう)して、現報を得し縁」である。

聖武天皇代に、二十三人の王たちが互いに饗宴に招き合うことをしていたが、ある女王は実は貧窮していて食にありつくために参加していた。ついに饗応の順番がまわってきて困った女王は、奈良の左京、服部堂(はとりべだう)の吉祥天女の像に泣きながら、自らの貧窮を訴え饗応するにふさわしい財をくださいと祈った。すると女王の乳母がたくさんの食物をもってやってきた。食物だけでなく、舞いや音楽も最高級のものを披露しもてなしたところ客人たちはおおいに喜び、褒美として着ていた衣や裳を脱ぎ与えたり、礼として銭、絹、布、綿などを送った。女王は喜んで、もらった衣裳を乳母に着せた。そののち、服部堂に入って吉祥天女像を拝むと、なんと乳母に着せたはずの衣裳を天女像が着ていたのである。驚いて女王は乳母を訪ねてみたが、乳母は何も知らないという。吉祥天女が女王の願いに感応して乳母に化けてやってきたというわけだ。以後女王は貧窮を脱したと語り収められている。とすると、やはり彫像が、動きだし、利生をもたらしたわけである。

よくよく考えるとこれは奇妙なことである。仏教美術というのは、仏教界に実在の尊格をかたちに写したもののはずだが、実在など見たことのないまま、彫像ばかりが現実的となって、そのうち彫像そのものが動きだし、現世の者を助けてくれるようになる。これは、中世以降さまざまに喧伝される地獄で、常に拝んでいた地蔵菩薩がやってきて助けてくれるといった物語に通じている。偶像崇拝は、ホンモノの神仏への信心を惑わすとして禁じる宗教もあるなかで、ここでは偶像への帰依こそが、利生をもたらすという話を構築してしまっているのである。ならばなおのこと、この物語にふさわしい吉祥天女の彫像が必要になるだろう。吉祥天女が理想の美女でありつづけるのは、こうした説話的妄想力のおかげなのかもしれない。

第三回　おタマはなぜ隠されたか——股間表現をめぐる男同士／女同士の絆

全裸のおたま地蔵の発見

奈良、新薬師寺のおたま地蔵が、なぜおたま地蔵と呼ばれているかというと、素っ裸の男性像の、その股間にまるまるとした蓮の花のつぼみを象った「おたま」をつけているからである。鎌倉時代、一二三八年頃造立のこの地蔵は、昭和五八（一九八三）〜五九（一九八四）年に行われる修理までは、景清地蔵と呼ばれていた。衣をつけた右手に錫杖の代わりに弓を持つのが変わってはいるが、ごく一般的な木彫の地蔵像であった。

ところが、昭和の解体修理で、着衣の地蔵像のからだの中から、素っ裸のもう一つの像が出てきてしまったのである。一二三八年に造られた像とは、素っ裸のほうであったのである。その時点で、景清地蔵は、おたま地蔵と命名されなおされて、新薬師寺ではそのご利益をあらわす土産品として、金に塗られた蓮の花のつぼみ、というか、金の「おたま」が売られるまでになった。

おたま地蔵のほうに頭部がないのは、着衣の地蔵の頭がもともとくっついていたからだ。素っ裸のオリジナル像は、ある時期に着衣の地蔵像に変身させるべく、大改造が行われたのであった。おたまのついた全裸の体をすっぽり覆うように、地蔵像を貼りこんでいったところ、もとの裸体像より胴部が大きくなってしまったことから、それに合わせて頭部も板をついで拡張しているのである。着衣の地蔵像の右手は弓を持つ拳を前に突き出しているのだが、もともと裸体像のほうの右手は、掌をこちらに向けて下に降ろしている姿であった。左手はいずれも宝珠を乗せる姿で共通していた。したがって着衣の地蔵像にするときに、下に降ろした右腕は切断されている。足も着衣の像に合わせて切断してある。そうした切断された断片は無下に捨てられてしまったわけではなくて、この像の胎内に収められてあった。それで、オリジナル像の姿が明らかになったわけである。

そもそもおたまのついた全裸のオリジナル像はいったいいかなる理由でつくられたのか。おたま地蔵の造像の由来については、解体修理の際に発見された胎内納入品によってわかっている。副島弘道・長沢市郎・水野敬三郎・藪内佐斗司「新薬師寺地蔵菩薩像修理研究報告」（『東京芸術大学美術学部紀要』第二一号、一九八六年三月）によると、尊遍という僧侶が願主であり、自ら造像願文を書いている。願文には、嘉禎四（一二三八）年一一月十九日の日付で、この像は先師、大僧正実尊の出離生死頓証菩提のために、つまり速やかに悟りにいたることを願って造立した（今此像者為先師

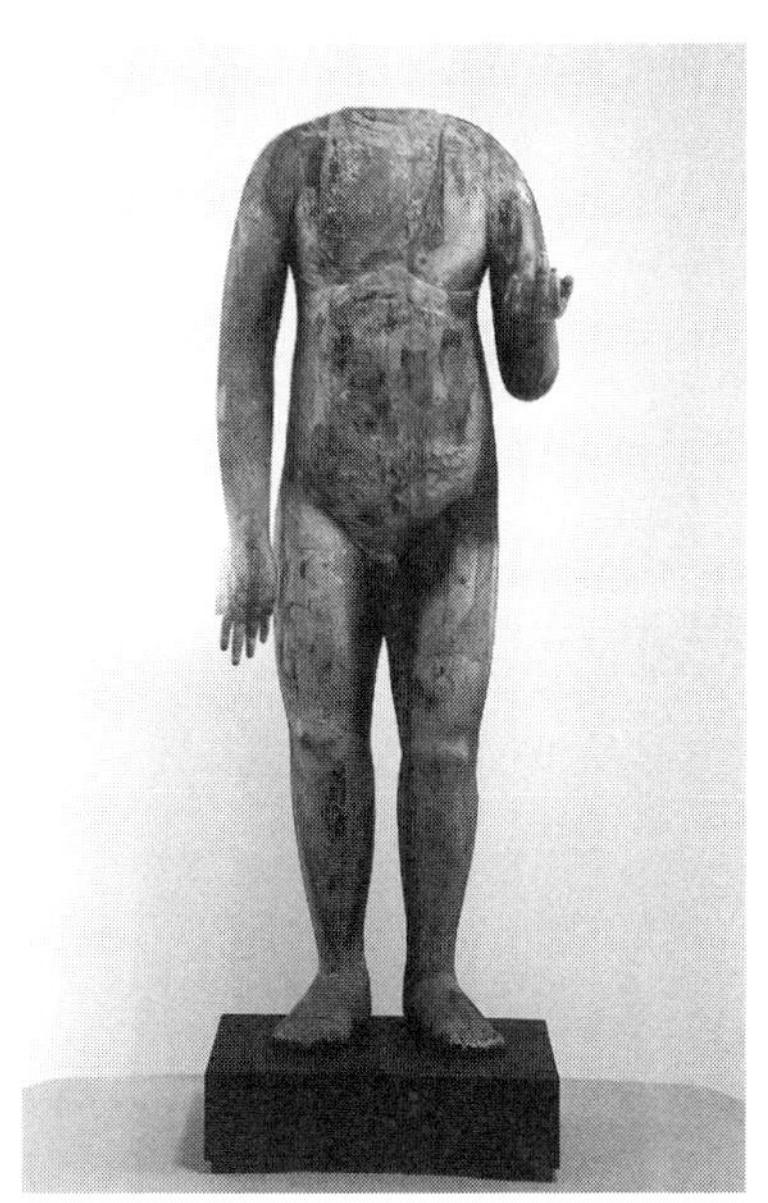

図３　おたま地蔵（副島弘道・長沢市郎・水野敬三郎・藪内佐斗司「新薬師寺地蔵菩薩像修理研究報告」『東京芸術大学美術学部紀要』第21号、1986年３月）

大僧正実尊出離生死頓證菩提所奉造立也）とある。尊遍は自らの師である実尊の死後に、実尊の菩提を弔うためにこの像を作ったというのである。実尊は、嘉禄二（一二二六）年七月二日、興福寺別当ならびに春日社の社務職に任じられて、興福寺の大僧正にものぼるが、嘉禎二（一二三六）年一二月九日に五七歳で亡くなっている。このとき尊遍は四三歳。

弟子尊遍は、先師が在世の間、真に云わく、俗に云わく厚恩を蒙ったのだが少しの報謝もないままに、師が亡くなってしまい、悲嘆のあまり、一躰の形像を聖霊の御質になぞらえて、昼夜親近し、常に従い仕え奉ることとしたと書きつけている（弟子尊遍彼御在世之間云真云俗蒙厚恩一塵無報謝実滅後今悲之歎之余一躰之形像擬聖霊之御質昼夜親近常随奉仕）。

尊遍は、実尊の死後悲嘆に暮れて、この像を造ったというのだが、願文の日付からみると実尊の没後およそ二年後には、師の姿を象った像はほぼ出来上がったということになる。まさに実尊の魂の込められた師の似姿であったのだから、弟子の尊遍は、まるで師が生きているかのように衣を着せかえて、昼夜仕えまつっていたのである。尊遍にとって、この像は実尊そのものだったのである。

また願文には、尊遍自らの臨終のときには苦しまずに死にたいとの願いも書いてある。この点について、水野敬三郎は、「尊遍は願文中で第一に、自らの臨終に際して死期を知り、微苦少悩ならんことを祈っている。願文に記される願いとしてはやや特殊に属することといえよう」と述べて、次のように推測する。

『春日権現験記』によれば実尊には喘息の持病があった。その入滅も呼吸器系の疾患による、少なからぬ苦痛をともなってのものではなかったか。その臨終に立会った尊遍が自らの命終時に思いをはせて、苦痛の少なからんことを切実に願ったのではないかと想像される。

（水野敬三郎「新薬師寺地蔵菩薩像（景清地蔵）について」『日本彫刻史研究』中央公論美術出版、一九九六年）

もし七転八倒の末に亡くなったとすれば、極楽往生を願って修行を積んできた僧侶にとって、それはとんでもない恐怖であったにちがいない。たとえば『平家物語』（新編日本古典文学全集『平家物語』①、小学館、一九九四年）によると、平清盛は、死の直前まで頼朝の首をとれなかったことを悔やみ続けているような人として描かれているのだが、北の方の夢に閻魔庁から迎えの車がやってきて東大寺を焼き討ちし大仏を焼きほろぼした罪によって清盛は無間地獄に堕ちることが告げられている。地獄行きの確定している清盛の最後は「悶絶躃地（もんぜつびゃくぢ）して遂にあつち死（じに）ぞし給ひける」と伝えられている。つまりもだえ苦しみはねまわって悶死したのであるが、それは地獄行きの徴しだというわけだ。

興福寺の大僧正たる実尊が、悪名高い平清盛のように悶死したとなれば、実尊に親しんだ尊遍が自分もまたそのような死を迎え地獄に堕ちるのかもしれないと恐れおののいたとしても不思議はない。尊遍が願文にまじないのように「出離生死」「頓証菩提」と書きつけて成仏を願い、自らの死の安からんことを願ったのは実尊の死に様があまりに不気味であったゆえだとする水野の想像はまさにそのとおりだったのではないかと思われる。

おタマをめぐる男同士の絆

ところで、師の死に様から自らの死を見積もるというのは僧侶であればふつうのことなのだろうか。もしそうだとするなら、実尊の弟子という弟子が師のための供養像を造っているはずである。多くの弟子のうち、尊遍だけが、実尊の死に強い衝撃を受けているのは、この師弟が特別な関係にあったせいではないのか。

「春日権現験記絵」巻十五第四段（続日本の絵巻14『春日権現験記絵』下、中央公論社、一九九一年）には、実尊と尊遍の深い絆が記録されている。元仁元（一二二四）年一一月二七日、実尊は菩提山で前の大僧正信円のための仏事を執り行う大役を担っていた。ところがその前夜に持病の喘息の発作が出て、翌日のつとめが危ぶまれる状態となった。遺恨に思っていたところ、まどろみに夢を見た。実尊は、その夢を彼に仕えている頼憲という僧に次のように話した。「汝のうしろの前栽に、鹿が一頭、縁に首をかけて我に向かって立っているのを見て目が覚めたのだ。不思議のことだ」。鹿は春日大明神の乗り物だから、頼憲は春日大神明の加護があるのだと感涙する。夢告のとおり、実尊の具合は良くなり、翌日の仏事を無事につとめることができた。

しかしこの物語は、ここでは終わらない。実尊が春日大明神の夢告を得ていた、ちょうどそのころ菩提山に入っていた尊遍得業がこんな夢を見ていた。部屋の中を見回すと、垂れ布をかけたところがあって、その布を引き上げてみると大きな鹿が一頭立っていた、というものだ。この段の結びは「大明神、和尚を守り給ひける、いと尊かりし事なり」となっており、実尊を春日大明神が守護したことをいうのだから、尊遍も鹿の夢を見たことは直接には筋にはかかわらない。それでもここにどうしても尊遍の夢についていう必要があったのは、ひとえに実尊と弟子尊遍とが、同じ夢を見るほどに一心同体であったことを是非にも記しておきたかったからであろう。その一心同体ぶりは、単に弟子尊遍もまた実尊とおなじくらいにその仏事を大切なものと感じ、是非にも仏事をつとめさせてやりたいと強く願っていたというのではない。春日大明神の夢告が同時に授けられるほどに、春日大明神公認の男同士の強い絆があったのである。

ところで、師を慕う弟子の発願する像が、こんなにも無防備な全裸像であったのはいったいなぜなのだろう。たとえば平安時代末期には、女房たちが仕えた主人の追善供養のために普賢菩薩を描いたという記録がある。九条兼実（一一四九〜一二〇七）の日記『玉葉』には、養和二（一一八二）年の正月十二日条に、崇徳天皇中宮藤原聖子のために女房たちが普賢十羅刹女像を作図したとある。

普賢菩薩が示唆するのは極楽往生ではなくて、兜率天往生なのだから、それは女たちに支えられた信仰である。というのも、『法華経』によれば、極楽には、男しか行くことができないのであり、女が極楽往生するためには、「変成男子（へんじょうなんし）」といって男の体に変身しなければならない。弥勒菩薩のいる兜率天は女でも入れるのであった。男になんてなりたくもないと考える女たちは兜率天往生を志向しはじめた。特に一〇五二年以降、末法に入ってからは、次に仏になることが約束されている未来仏たる弥勒菩薩を頼って兜率天に生まれ変わったほうがよいと思う人が増えて、阿弥陀来迎に代わって弥勒来迎がしきりと描かれるようになっていく。

　ともあれ、自らの往生を夢見るのなら、主人を聖化し普賢菩薩にみたてるのが自然な発想だろう。尊遍は、死を恐怖する願文を書いておきながら、なぜこんなにも頼りなげな姿の実尊像を造らせたのだろう。水野敬三郎は実尊と尊遍のホモセクシュアル関係をひかえめに注に示唆している。

> 実尊と尊遍の間には、師弟の域をこえた特殊な関係、感情が存在したのかもしれない。尊遍造像願文中の「云真云俗蒙厚恩」という言葉もそれを暗示するように思われる。

　水野は願文に書かれた「真に云わく、俗に云わく厚恩を蒙った」を仏道の師弟関係をさす真の厚恩だけではなく、俗にいう性愛関係という厚恩をも蒙ったと読み解き、「師弟の域をこえた特殊な関係、感情」を示唆している。一四歳差の師弟は、「俗に云う」ところの稚児愛にはじまった関係だと想定することができる。だから尊遍は、生前に馴染んだ実尊の肉体を生きているときのそのままに身近く置いておきたかったということだ。

肉体を永久保存する

この時代、裸形像が流行していて裸形につくった地蔵像や阿弥陀像に衣を着せて祀る形式は少なくなかった。しかしたとえば伝香寺の裸形地蔵が股間に渦巻き様の象徴を掘りつけているのに対して、実尊像のそれは、かなり大ぶりでまるまるとした蓮のつぼみ花である。通常、裸体像における股間表現は、陰馬蔵（おんめぞう）と呼ばれる表現をとる。陰馬蔵とは、『岩波仏教辞典』（第二版、一九八九年）によると次のようにある。

仏陀に備わるとされるすぐれた身体的特徴（三十二相）の一つで、色欲を離れた高潔な人の男根は常に体中に蔵されており、外部には顕れないというもの。漢訳語に示されるように、ときにその様子が馬の陰部にたとえられるが、原語自体に〈馬〉の意味があるわけではない。

つまり、原語にはそんな意味はないとはいえ、要は立派なモノが腹の中に隠れている馬のように、男根が表に顕れていない状態をいうのであって、色欲とは無縁であることを意味しているというわけである。

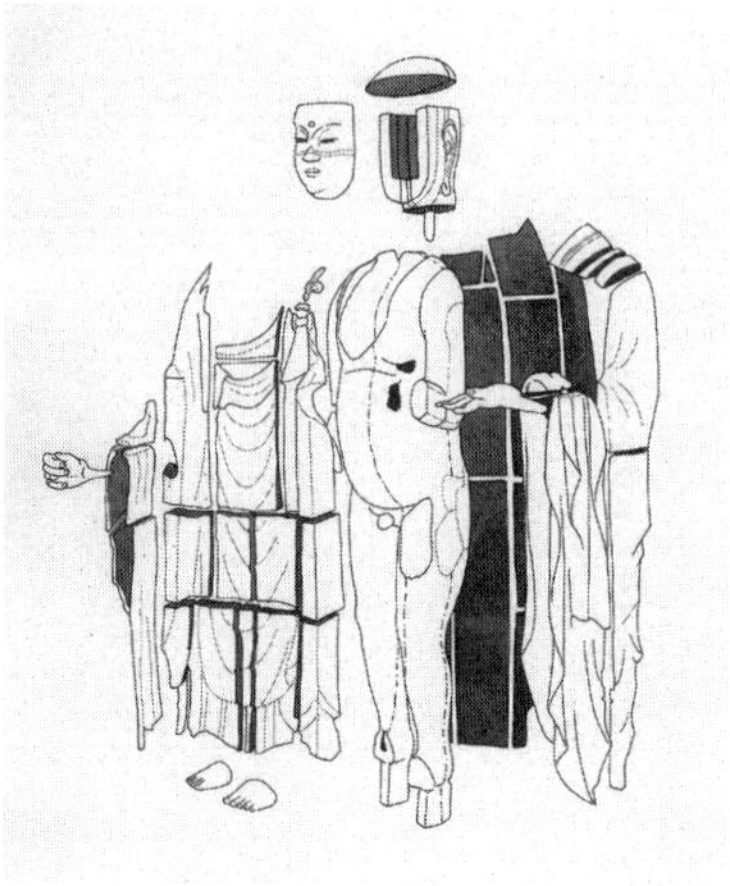

図4　おたま地蔵構造図（副島弘道・長沢市郎・水野敬三郎・藪内佐斗司「新薬師寺地蔵菩薩像修理研究報告」『東京芸術大学美術学部紀要』第21号、1986年3月）

実尊像の股間にあるものは、確かに男根ではないのだけれども、だいぶ大きく表に出ているように思われ、それはつまり色欲の度合いの強さを示しているということになるのだろうか。ともあれ、尊遍が造像した裸体像は、地蔵像ではまったくなかった。やけに人間味にあふれた生身の男の像であったのである。ことほど左様にプライベートな像であったために、尊遍は、自分の死後に、この丸裸の像はいったいどうなってしまうのだろうと心配しはじめた、と水野敬三郎は想像する。

ところで改変の仕方を見ると、（一）改変時に裸形像自体にはさしたる損傷がなかったと思われること、（二）この改変は極めて手間のかかる作業であり、これだけの手間をかけるならば、むしろ新たに一像を造立する方が簡単であったろうとさえ思われることなどから、この改変にはよほど強い動機があったと推測される。（中略）すでに自らの命終のことに思いを馳せていた尊遍が、その死期の近いのを知り、先師実尊に擬した地蔵菩薩像を裸形のままにこの世に残してゆくのにたえられなかったのではないか。その裸形をかくし、永久保存をはかるため、木造の着衣を貼装させたということは、ありうるように思われる。

つまり裸体像を損なわないまま、そっくりそのまま地蔵像の中に入れるという、おそろしく手間のかかることをしたのは、自らの死期の近いのを知った尊遍が師の姿を裸のままで残していくのがたえられなかったからだというのである。それで実尊のごくプライベートな肉体を「永久保存」するために地蔵像のなかに隠した。たしかにやたらに手の込んだ貼装作業の過程をみるにつけ、この肉体を保存することへの強い執念を感じざるをえない。しかしなぜ地蔵像にしたのだろう。

新薬師寺に安置されているこの像は、もとは当寺にほど近い地蔵堂に安置されていたもので、明治二（一八六九）年に新薬師寺に移されたという。

ハンク・グラスマン『地蔵の顔』（Hank Glassman, *The Face of Jizō: Image and Cult in Medieval Japanese Buddhism*, Honolulu: Univ. of Hawai'i Press, 2012.）によれば、藤原氏の氏の社たる春日社と氏寺興福寺を間近にひかえた新薬師寺周辺では、鎌倉中期から後期にかけて春日神信仰と混交するかたちで地蔵信仰が栄えた。ことにそれは巫女、遊女、白拍子といった女性芸能者たちによって支えられていた信仰だったという。春日若宮神社のおん祭で猿楽、神楽や細男（せいのお）などの舞が奉納されることは知られているが、芸能の発祥の地であった若宮拝殿は、巫女の本拠地でもあって、そこには地蔵が祀られていた。のちにこの機能が新薬師寺へ移された。かくいうわけで、新薬師寺周辺といえば地蔵信仰のメッカなのである。

これほど面倒な改変の末に、実尊おたま像を阿弥陀でもなく弥勒でもなく、地蔵像になしたのは、ここが地蔵信仰の中心地であったせいもあるだろう。さらに言えば、実尊は苦しみの果てに死して、ことによると地獄に堕ちたかもしれないのだから、それを救ってくれるのは地蔵しかいない。極楽にいけねば阿弥陀の加護は得られないし、兜率天にいかねば弥勒に守護されることはない。地蔵は、地獄絵にもしばしば登場し、地獄に堕ちた者の前に顕れ、錫杖を差し出して、そこから救い出してくれるのであった。

さて、実尊の肉体を内に秘めつつ生まれ変わった像は、完全なる地蔵像であって、すでにそこには実尊の影はなかった。

景清伝説との交差

やがて地蔵となったこの像も経年劣化していき、目がつぶれたようになってしまった。するとこんどは、そこに盲目となって日向に流された景清と関わらせた物語が読み込まれるようになるのである。

景清が源氏方に破れ、盲目となって日向国に流されたというのは、能の演目の「景清」の語る物語である。しかし新薬師寺に伝わる「景清地蔵尊来由」によると、景清地蔵は、景清の母が護持仏としていたもので、この地蔵に安産を祈願して生まれたのが景清だったというのである。のちに源平の合戦となり、平家一族が没落したとき、景清の母は春日の里に隠れ住み、地蔵尊に祈った。

景清は春日の里にやってくるがそこで眼病を患い盲目となる。しかしこの地蔵尊に祈ると眼病がたちまち治った。その代わり、この地蔵尊の右目が閉じてしまった。以後、安産と眼病封じの霊験がある地蔵として人々の信仰を集めたというのである。したがって、景清地蔵とは、景清を象っているわけではなくて、景清の身代わりとなって目をつぶしてしまった地蔵をいうのである。この物語ができたころには、景清地蔵の目は修復前の姿のように両目ともにつぶれていたわけではなくて、右目だけが損なわれた状態であったのだろう。このように、物質としての彫像は、造像当初の意図から離れて、年を経て劣化していくごとに、物語を新調しながら、その時々の信仰を形成していったのである。

図5　景清地蔵修復前（副島弘道・長沢市郎・水野敬三郎・藪内佐斗司「新薬師寺地蔵菩薩像修理研究報告」『東京芸術大学美術学部紀要』第21号、1986年3月）

ところで平安末期あたりから流行した裸形像だが、その股間はどれもこれも陰馬蔵という形式であらわされているかというと、これまたとんでもない股間をもつ像が、堀口蘇山『関東の裸形像』（芸苑巡礼社、一九六〇年）に紹介されている。

後閑薗蔵、弘法大師裸形立像として紹介されるこの一体は、玉眼入りの乾漆像である。逆手に握った右腕を下にさげ、なにかを握ったかたちの左手を胸元にかかげる像は、堀口によれば「右手に法袋を提げ、左手に法螺貝を持て、法螺貝を吹てゐる様相」である。「当像は「修行之空海」である、諸国を遍路して社会福祉を施設した時の活動主義の空海像である、従てこの裸形像に粗衣と粗服との旅装が整いられて旅姿の空海となるのである」とするのは、なるほどそのようなものであろうと首肯できる。一般に弘法大師像は、手首をひねったかたちの右手に五鈷杵をにぎって胸元にかかげ、左手に念珠をもつ坐像で表されるものと、旅姿の立像とがある。堀口蘇山は、諸国遍歴の旅に出た空海を想像しながら、こうも真っ裸なのだからというので温泉に入る姿を連想したらしい。

……旅姿になつた空海の一例を挙ぐるならば、無人境の原野に温泉を発見する、空海は之を治康して衆人を率え、「請ふ隗より始めよ」二陣三陣と続けよと、人前へ出しても、堂々たる四肢五体、辱しくない逞しい立派な、見事な、おチンチンを開張しながら、ザンブとばかり一浴、さうして湯治療法や晴耕雨浴の生活増進法をよりよく指導した。

ここで堀口が「辱しくない逞しい立派な、見事な、おチンチンを開張」と説明したくなるのは、この像が、なかなかに「立派な、見事な」モノを股間につけているからである。堀口が「右から逸物を見ても、左から男根を見ても、上から睾丸を見下しても、下から陰嚢を見上ても、立派であり見事であり而も芸術的であり、聊かもいやらしい感じがしない、性神であるからである」と説明するように、ごくごくリアリズムのていで男根と睾丸が股間にさがっているのである。たしかにここまでしっかりと造りこまれた股間部に聖性を読み込むなら「性神」とするほかない。「性神」たるものは、人に羨まれるほどの「逸物」を持たねばならないと堀口は説く。

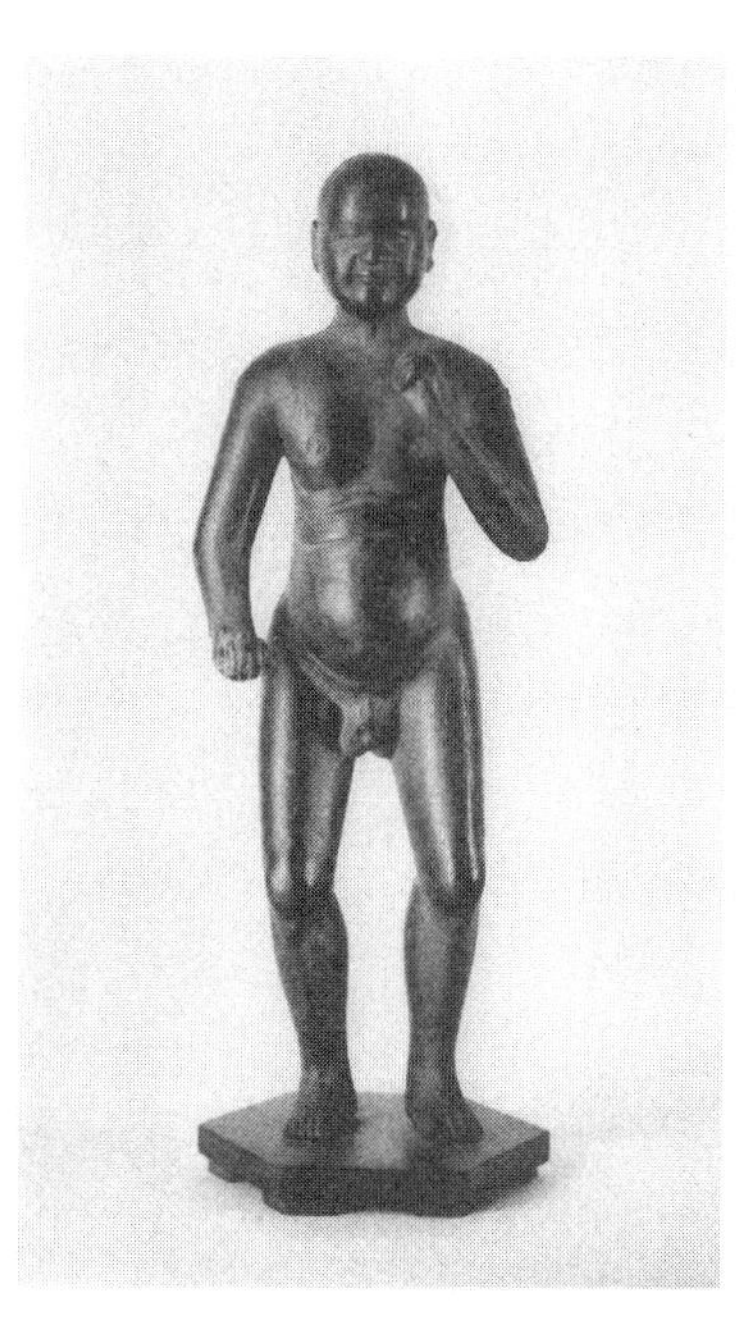

図6　弘法大師像（堀口蘇山『関東の裸形像』芸苑巡礼社、1960年）

それにもまして播州松茸、そつち退けの逸物、美しいではないか、大丈夫の男根は勇ましく、麗はしくも見事なれ、釈迦の男根も婆羅門族の羨望の的となつたほどに、卓越傑出してゐたさうである、然らばさ、空海様は釈尊の再誕であるから、その逸物は御見事御見事、一気当千勇猛奮迅の英姿であつたのであらふ。さうして弘法様は大日如来の再現であるから、その亀亢は天晴れ天晴れ、威風堂々、瑜伽師地壇上を轟々と震裂せしむるの雄状であつたのであろう。

お釈迦さまだって人の羨むような男根を持っていたのだから、釈迦の再誕といわれた空海のソレも「御見事御見事」なものでなければならないというのである。この像も衣を着せてまつっていたのだろうから、ふだんはこの「勇ましく、麗はしくも見事」な「逸物」は見えないはずである。しかしそれが衣の下に存在するという密かな事実が、この像の霊性を高めていたのに違いない。

弘法大師像が、裸形の地蔵像にも似ているように、出家の僧侶と地蔵とは姿がよく似ている。それは尼であっても同様である。尼を象った地蔵像が、裸形像としてつくられると、こんどは女の股間問題というものが発生することになる。

女の裸形像の股間問題

鎌倉、延命寺の身代わり地蔵は、北条時頼夫人のゆかりの像だといわれている。右手に錫杖を握り、左手に宝珠を持つ典型的な地蔵の姿でありながら、白く化粧したような肌合いに赤い紅をさした唇、青々と剃りたてのような頭部など、生きている人らしさのただよう像である。地蔵像の多くは蓮の花を象った蓮台の上に立っているのだが、本像は、双六盤の上に立っていて、これが身代わり地蔵の物語に直接関わっているのである。

身代わり地蔵の由来として、双六で負けるたびに衣を脱いでいくゲームに興じていたところ、時頼夫人が負けこんで、ついに真っ裸にならんというところに、地蔵が顕れ身代わりとなったという説話が伝わっている。北条氏の妻たる人が負けたら脱ぐゲームに参加しているのもナンだが、そもそも野球拳みたいなお下品なお遊びがそんな昔からあったのだろうか。

堀口蘇山はこの像を北条政子像として紹介している。堀口によると、大正一二（一九二三）年の関東大震災で破損し、翌年明珍恒男が修繕したという。堀口がとりわけ関心を寄せたのは、その股間表現であった。修繕前の股間は「盛上げ」であったと堀口はいう。

（…）当像の妙根は盛上げであつた、その盛上げ妙根は損傷してゐた、さうしてその妙根は後

図7　身代わり地蔵部分（堀口蘇山『関東裸形像』芸苑巡礼社、1960年）

世の製作物ではない、当像造顕当時の作品である、しかしかうした立派な妙根を表現してゐるのは天下ただ一体のみと感づいた。
しかし、地蔵様である、こうした妙根の無い方がよい、俗物の批判をさける上に於ても無い方がよい、俗物に、色的にのみ批判されては遺憾の不祥事が起る、……。

造像当時からの股間は「盛上げ」であったのだが、写実的にすれば、妙な解釈をされるに違いないと明珍恒男が心配したのだと堀口蘇山はいうのだが、やたらと葛藤が具体的なので、これは堀口の推測かもしれない。

（…）では通途の馬陰相にしようか、蓮花相にしようかと迷うた、しかし待て、今後こうした彫刻が現はれた際に困る、その時はどうするか、と云う問題が起る心配がある、笑はれる誇りをうける心配がある。故に馬陰相も蓮花相も止めよう、ほんの間に合せにしておこう、その方が賢明であると断じた。

他の裸形地蔵像のように股間に渦巻きを描く馬陰相にするか、蓮花をくっつけた蓮花相にするかで迷ったのだが、そうした改変はかえって「笑はれる誇り」を受けるかもしれないと心配して間に合わせとして「粘土をちびつとその部分に臨時に付加した」のだという。

そこで現在の如き判字文式、赤ん坊のおチンチンでもない、妖物式の形にした、これならばいつでも外れる、尊体に傷をつけないで直に外れる、後日人間的な女陰を必要とした場合には、人間的なさうして写実的な妙根を付れば良いのだと推断した、さうして施工したのであつた。

堀口は、あくまでも当像の股間には、本来ならば「人間的な女陰」があったはずだと考えている。その時点で明珍恒男は江島弁才天をみていないし、「人間的な妙根を具有してゐるような彫刻が有ることを夢にも知らなかつた、聞いてもゐなかつた」から、女陰をつけることを想像だにしなかったのだという。しかしもしそうだとしたら、なぜ明珍恒男は、よりにもよって凹凸を反対にして「ちびつと」粘土をつけたりなどしたのだろうか。

限りなく女性的で優美なこの像が、それでいて、ちっとも胸の表現をもっていないように、地蔵菩薩たるものは男性化して造られねばならないと思うのがふつうではないだろうか。

しかしもし堀口蘇山が妄想するように、この像が女陰部を持っていたのなら、それこそ他に例をみない地蔵像となったはずである。もともと女神像である弁財天が陰部をもつのとはまったくわけがちがうのである。おたま地蔵が師を思慕する形代（かたしろ）だったことから類推するに、だれかが実在の女性への思慕を形象化するために造った像だということになりはしないだろうか。その形代が陰部をもたねばならなかったのは、それもまた濃密な肉体への思慕から造られたからではないのか。青々とした頭部が尼姿をあらわしているとするのなら、尼寺には女しかいないのであるから、その肉体への思慕もまた女による女へのものであったはずだ。そのように考えると、生々しいほどに女らしい身代わり地蔵の「ちびつと」つけられた粘土による陰部は女同士の絆をこっそりと伝える痕跡にみえてくるのである。

第四回　男同士の恋愛ファンタジー

日本中世稚児愛物語

稚児物語は、美少年たる稚児と僧侶の恋愛を描いたものだが、中世には継子いじめの物語などと並んで人気を博した物語の一ジャンルであった。そういうお話はまったくのフィクションだったかというと、そうでもなくて、稚児への想いをつづった僧侶の歌が勅撰和歌集の「恋」の部立てに入っていたりもする。たとえば後白河院の命により藤原俊成によって選られた『千載和歌集』（新日本古典文学大系『千載和歌集』岩波書店、一九九三年に拠る）の「恋歌」六七二番歌には、仁昭法師の次の歌がある。

横川の麓なる山寺にこもりける時、いとよろしき童のはべりければよみてつかはしける

世をいとふはしと思ひし通ひ路にあやなく人を恋ひわたるかな

比叡山の寺にこもっていたときに「いとよろしき童」に出逢っているのだから、ここに女がいるはずもなく、お相手の童は男子なのであり、この世を厭い捨てるきっかけとなるはずの比叡山の通い路たる橋で出逢った人をどういうわけだか恋しいと思い続けているよというのである。法

師が堂々と稚児へのつきせぬ想いをうたって、それが勅撰和歌集に恋の歌として載るのである。男同士の恋愛を「男色（なんしょく）」と取り立てるように言うけれども、男女の恋歌と同じように和歌集に載っているわけで、法師と稚児との恋愛はそのように単なる日常であって、驚くべきことでもなんでもなかった。

中世の人々はプラトニックラブなどのような観念も自制心も持ち合わせてはいないので、この場合の「恋」が性的関係を含むのはいうまでもない。白河天皇の命により、藤原通俊を撰者として編まれた『後拾遺和歌集』（新日本古典文学大系『後拾遺和歌集』岩波書店、一九九四年）六五九番歌には、良暹法師の、恋人と一夜を過ごしたあとのちょっとどきっとするような歌がある。

朝寝髪みだれて恋ぞしどろなる逢ふよしもがな元結にせん

（寝起きの髪が乱れて恋心もしどろに乱れている。逢う方法はないかしらと思いつつ元結を結おう）

髪の乱れを整えながら、千々に乱れた心も整えようという歌である。

ふつう乱れ髪といえば、女の長い黒髪が共寝のあとに乱れるのをいう歌が多く、たとえば同じ『後拾遺和歌集』七五五番歌には和泉式部の歌が載る。

黒髪のみだれも知らずうちふせばまづかきやりし人ぞ恋しき

（黒髪が乱れるのにもかまわず臥せっていると、この髪をかきやった人がまずは恋しく思い出される）

稚児は、剃髪しておらず髻に結い上げることもせずに、長く髪をのばしていたから、寝乱れてしまうことはよくあっただろう。「秋の夜の長物語」にも、僧と一夜を過ごしたあとの稚児の描写に「寝乱れ髪のはらはらとかかりたるはづれより、眉の匂ひほけやかに……」などとある。とすると、先の「逢うよしもがな」の良暹法師の歌は、稚児との共寝の朝を詠んでいるものということになる。

こんなふうに僧侶が美しい稚児を見かけて恋に落ちるのが現実社会にありふれたことだったとすると、ただ恋愛するだけでは物語にはならない。とくに稚児物語は、酒呑童子だとか浦島太郎などの物語と並んで御伽草子の一部に入っていたりもするのだから、短編のなかでなにか趣向をこらさねばならないという物語的制約がある。長編物語の『源氏物語』のように、ゆったりと何事もない日々を描写しているひまはない。かくいうわけで、稚児物語は悲恋ものが多くなり、いわゆる泣けるお話が王道となっているのである。

たとえば『千載和歌集』五九六番歌には、こんな悲恋を詠んだ歌がある。

奈良に侍従と申しはべりける童の、泉川にて
身を投げてはべりければよめる
僧都範玄

何事のふかき思ひに泉川そこの玉藻としづみはてけむ

詞書によると奈良に侍従と呼ばれた稚児がいたが泉川に身を投げたという。それを憂えて、どんな深い想いがあって泉川の底の玉藻となって沈み果ててしまったのかと詠んだ歌である。この歌は稚児物語の「弁の草子」にも引用されており男色悲恋ものの妄想力を支える一首であったらしい。

ところで、男女の恋愛の場合、たとえば『源氏物語』の光源氏と空蝉のように、男が女を落とすまでの恋のかけひきが物語的主題となることがあるが、稚児物語の場合は、僧侶が美しすぎる稚児に一目惚れして歌を送ると、わりとすんなりと稚児がその気になり、さっさと相思相愛になってしまうのが定石である。

男色物語が、恋の行方を読みどころにしないとなると、物語を面白くするためには、かなり大がかりなしかけが必要となってくる。というわけで、「秋の夜の長物語」では敵同士の恋、「鳥部山物語」は京と関東武蔵国との遠距離恋愛など様々に趣向をこらす。「松帆の浦」は三角関係のもつれもので、相思相愛だった稚児と法師の間に、太政大臣の子で左大将という政界の大物が横恋慕してきて法師を淡路の国へ島流しするが、稚児はけなげにも淡路をめざし、法師の死を知るという展開である。「花みつ」は継母にいびられて自害するという継子いじめもの。変わっているのは腹違いの弟を殺してくれと法師に頼んで、実は弟に変装して自分を殺させるという芝居じみた展開が用意されているところである。「あしびき」は、比叡山と奈良の遠距離恋愛に、継子いじめが加わって、継母が稚児を殺そうと武士に頼んだことで合戦にまで至るなどの、これまでの男色ものの全部盛りの様相を呈するが、別れ別れになっていた法師と稚児が後年再会し、二人して大往生するというめずらしくハッピーエンドを迎える物語でもある。「幻夢物語」は遠距離かつ怪談かつ仇討ちもの。京の僧侶が日光の稚児と睦みあう。僧侶は稚児を忘れられず、稚児を訪ねて日光へ行く。宿をとったお堂に稚児がやってきて再会。笛を託される。しかし翌日、この稚児は父親の仇を討ったものの、その仇の息子に殺されてしまったことを知る。京に戻ったのち、この僧侶は、美しい稚児を殺してしまったことを悔いて出家した青年と出逢うという筋書き。……といった具合に、似たり寄ったりになりがちな恋愛話をいかにバラエティに富んだ筋書きでみせるかというのが稚児物語の腕の見せ所であったようである。

ちなみに、稚児というのは「子ども」ではない。「ちご」ということばにはたしかに「子ども」という意味があるが、この男色物語に出てくる稚児は寺院で奉仕する成人男子である。この時代の成人は一二歳だが、稚児の花形は一六歳であったようで、稚児物語の主人公はおおかた一六歳となっている。宮廷社会であれば、女房がするような役回りを寺院では稚児が行っているのである。したがって、女房と同じく、歌を詠むのがうまく、楽器を上手に演奏し、宴席では酌をして楽しませもするのが稚児である。

稚児と僧侶の恋物語――「秋の夜の長物語」

さてここでは「秋の夜の長物語」をとりあげて、実際にどのように男同士の恋愛が描かれているのかを確認しておこう。

まず物語の設定として、とある寺で、老僧が僧侶たちに最近きき知った話があまりにあわれに尊いものであったので、老の寝覚めに語って聞かせるというかたちをとっている。「面々に枕をそばだてたまへ」といっているから聞き手は複数人の僧侶たちであろう。語られたのは秋だったので、それで「秋の夜の長物語」というタイトルがついているのである。

物語は、稚児との恋愛が比叡山延暦寺と三井寺の、いわゆる山門、寺門の争いへと発展する、まことに大がかりなものとなっており、皇帝派と教皇派で敵対する家の男女が恋愛するシェイクスピア『ロミオとジュリエット』ばりの筋立てである。どうも山門と寺門の二人が恋をするというのは当時実際にあったようで、『後拾遺和歌集』七四一番歌に、次の歌がある。

思ひけるわらはの三井寺にまかりて久しく音も
しはべらざりければよみはべりける　　僧都遍救
逢坂の関の清水やにごるらん入りにし人のかげの見えぬは

（逢坂の関の清水はにごっているらしい 三井寺に入ってしまった人の影が映っていないのは）

遍救は延暦寺の僧と考えられており、詞書によれば、恋仲にあった稚児が三井寺に行ってから、しばらく音沙汰もないのである。そこで、もう濁って姿が映らない関の清水のように、二人の関係も濁ってしまってもう逢えなくなったのではないかと詠んでいる歌である。僧都遍救の歌からは、比叡山と三井寺の対立があること、比叡山の僧と三井寺の稚児が恋人同士になっていることなどが読み取れて、この歌は大きな物語的構想力を秘めた一首であることがみてとれる。

さて「秋の夜の長物語」の主人公には、遍救ではなくて、別に実在した瞻西上人（せんさいしょうにん）（?〜一一二七）の名があがっているのだが、それはまったくのフィクションである。

たとえば『校註日本文学大系』第十九巻（国民図書、一九二五年に拠る）に収録された本文では、「後堀川の院の御宇」の話としているが、後堀川（一二一二〜一二三四）の在位期間は一二二一〜一二三二年であり、譲位後、院政を開始して二年で死去しているから、この時代設定なら一一二七年にすでに没している瞻西上人と関わりようもない。瞻西上人は、『千載和歌集』『新古今和歌集』などの歌集に歌が入首するほどの風流人ではあったが、そこに稚児との恋歌が遺れるわけではない。

「秋の夜の長物語」のあらすじは以下のようになる。瞻西上人は、若い頃、比叡山の東塔、勧学院の僧侶であり、宰相の律師桂海とよばれていた。壮年になった頃、いつまでも悟りがひらけないので石山寺に籠る。すると夢に「容顔美麗なる稚児」が現れ、雪のように桜の花びらが舞い散るなかを歩み去っていく姿を見た。これは所願成就の夢相なのだ！　と喜ぶが、それ以来、夢に見た稚児の面影が片時も離れない。あるとき、三井寺の前をとおりかかると垣根ごしに桜の咲いているのが見えた。門のそばから覗くと、一六歳ぐらいの稚児が庭に出て桜の枝を折り、歌を詠むのが見えた。その姿は「これも花かとあやまたれて」風にさらわれてしまうのではないかと思えるほどで、気が気ではない。桂海は、彼をすっぽりと覆ってしまえる袖になりたい、雲にでも霞にでもなって隠してしまいたいと思うのであった。ふと風が吹き扉を「きりきりと」ならす。稚児は、誰か人がいるのかしらんと花を手に持ったまま歩いてくる。美しさをいうなら、まずは髪の描写だ。「海松房(みるぶさ)の如くにて、ゆらゆらとかかりたる髪のすぢ」は、柳に糸がまといついてひきとどめたようで、見返るその目つき、顔だちが、石山寺の夢で見た稚児なのだった。

この稚児は花園大臣の子で名を梅若君というのであった。桂海は、梅若君に仕える童にかたらい仲介を頼む。桂海がはじめに贈った歌。

しらせばやほの見し花の面影に立ちそふ雲のまよふ心を

ほの見し花の面影にそっとよりそっていた雲が私です。あなたに夢中になっている心のうちを知らせたいというのである。いくたびかの歌のやりとりがあって、いよいよ桂海は三井寺に入り込む。口実は、三井寺の守護神たる新羅大明神のもとに七日籠るというもの。その間、夜な夜な梅若君と枕を共にする。あっという間に日数がたって、いつまでもここにいるわけにはいかないと桂海は比叡山へ戻ることになった、最後の夜を過ごしたあとの梅若君の色っぽさといったらない。

「寝乱れの髪のはらはらとかかりたるはづれより、眉の匂ひほけやかに、ほのかなる顔の面影いろ深く見ゆるさま」で、次に逢うまでに命が永らえるとは思えないほど別れがつらい。その思いは梅若君とて同じであった。梅若君は童と二人、桂海を追って比叡山へと登るのである。

ところが、道中、天狗にかどわかされ山中の石の牢に幽閉されてしまう。梅若君が行方知れずになったというので三井寺では騒いでいる。比叡山の律師が忍び通っていたことを誰かが告げる。父親がそれを許したのではないのかと疑って、寺門（三井寺）の衆徒は三条京極の花園大臣の邸を焼き払う。それでも憤懣やるかたなく、寺門派、山門派の合戦へとなだれ込む。

ここまで読んでくると、中世の僧侶というのは、仏道に精進し悟りすましているわけではまったくないということがよくわかる。僧侶たるもの、美少年への恋に身を焦がし、美少年を命がけで取り合い、ひいては美少年がために焼き討ちだの合戦だのへ乗り出すものなのである。

合戦ありファンタジーあり

ここからはさながら『平家物語』のごとき展開で勇ましくも荒々しい。この合戦、桂海の山門方が劣勢である。すると桂海が業を煮やして、次のように叫ぶ。

「山門よりこの寺へ寄せて攻めし事すでに六ケ度なり。毎度の戦、これに劣らずといへども、これほどに攻めかねたる事いまだなし。いくほどもなき堀一つ死人にて埋めたらむに、などかこの城攻め破らざらむ。」

（山門が三井寺を攻めるのはすでに六度目だ。毎度の戦、寺門に劣らぬとはいえ、攻め勝つことがいまだない。たいしたこともない堀一つを死人で埋め尽くしてなお、なぜこの城を攻め破ることができないのか。）

（「秋の夜の長物語」『校註日本文学大系』第一九巻、国民図書、一九二五年。適宜表記を改めた。）

桂海は、がばと堀へ飛び降り、二メートル以上ある岸の上へと跳ね上がり、塀の柱に手をかけるとそこをゆらりとはね越えて、三百余人の敵勢のなかに乱れ入り、火花を散らして切りつける。その姿たるやまさに活劇ドラマである。

下げ切り、袈裟がけ、車切り、そむきてもてる一刀、しざりて進む追つかけ切り、将棋倒しの払ひ切り、磯うつ波のまくり切り、らんもん、菱形、蜘手、かく縄、四角八方を切りてまはりけるに、如意越を防ぎける兵三百余人、足をもためず追ひ立てられ、思ひ思ひに落ちて行く。

「下げ切り、袈裟がけ」などの見事な刀さばきで、みるみる敵陣をやっつけてゆき、桂海たった一人で、三百人あまりの軍勢を攻め落としてしまうのである。三井寺は焼き討ち。新羅明神の社壇以外は灰燼に帰した。

その頃、石牢のなかで、天狗たちが、梅若君を奪いとったおかげで、三井寺が焼き討ちにあったわいと笑い合っている。それを聞いた梅若君が我が身を憂えていると、石牢にあたらしく八十歳ぐらいの白髪の痩せた老翁がぶちこまれた。この翁は妖術使いであって、泣いている梅若君の涙を手の上で転がしながら、それを大きな水の玉となし、水圧で石を砕いて救いだす。実は翁の正体は龍王であり、たちまち大蛇となって梅若君や童だけでなく、囚われていた者たちをみな雲に乗せて神泉苑のほとりに降ろしてくれた。魔法に龍。突然のファンタジー展開である。

梅若君はまず父の住む里邸、そして三井寺を訪ね、いずれも焼き払われているのを見る。童が山に登って桂海を訪ねてみるというので、梅若君は手紙を託す。桂海がそれをあけると次の歌があった。

我が身さて沈み果てなば深き瀬の底まで照らせ山の端の月
（我が身が沈み果てたなら、その深い底まで照らしておくれ、山の端の月）

桂海は血相を変えて馬で下山する。すると瀬田川にかかる橋の上で、旅人たちが十六、七歳ぐらいの紅梅色の小袖で水干袴をつけた稚児が西に向かって念仏を十遍ほど唱えて川に身を投げたといい合っている。桂海もそこから飛び込もうとするが周りの人々に止められて一命をとりとめる。せめてその亡骸を一目見ようと、童と小舟にのって川を下っていく。かなり下った先に、紅葉が水に溜まっているようにみえるところがある。それこそ梅若君の紅梅色の衣であった。桂海は、雪のように冷え果てた亡骸を取り上げ、膝にかかえて号泣する。童と二人で荼毘に付し、律師は比叡山には戻らず、梅若君の遺骨を首にかけて山林をさまよったあげく、西山岩倉に庵を結んで勤行する。童は出家剃髪し、高野山に籠る。

オチは観音のご利益

話はここで終わらない。そもそも桂海と梅若君との出逢いは、石山寺での夢告によるものであった。最後は石山寺の観音の利生でしめくくられる。三井寺の衆徒は住まう寺もなく離散していたが、三十余人が焼け跡を訪ね、新羅大明神の前で一夜を過ごした。その夜の夢かうつつにか、比叡山の守護神である日吉山王と新羅大明神が語らっている。衆徒の一人が、なぜ敵対する日吉山王と楽しそうに笑い合っているのかと聞くと、これは桂海が発心するための神明仏陀の利生方便であったのだという。そのために石山寺の観音が童男へと変化したのだ。つまり、この合戦、敵討ちのすべては、桂海が心の底から発心して三井寺を再興するためにあったというのである。梅若君は石山寺の観音の化身だったのだ。かくいうわけで、桂海は瞻西上人と名をかえて三井寺に住むことになった。

最後に、瞻西上人の詠んだ歌が載る。

　昔見し月のひかりをしるべにてこよひや君が西にゆくらむ
と書院の壁に書きつけにけるを、御門限りなく叡感ありて、新古今の釈教の部にぞ入れさせ給ひける。

瞻西上人が書院の壁に書きつけた歌に感銘を受けた天皇が、『新古今和歌集』の釈教歌の部に入れたのだという。物語の文脈では、この歌は梅若君が遺した歌「我が身さて沈み果てなば深き瀬の底まで照らせ山の端の月」に呼応するかのように見えるが、『新古今和歌集』（新日本古典文学大系『新古今和歌集』岩波書店、一九九二年）一九七七番歌には「人の身まかりけるのち、結縁経供養しけるに、即往安楽世界の心をよめる」と詞書がついていて、亡くなった誰かのために人々が集まって経を書写して供養したときに詠まれた歌とされている。『新古今和歌集』にも載るほどの、あの瞻西上人の物語だとして、天狗や龍王の出てくる話に真実味を持たせようとしたのだろう。

「秋の夜の長物語」は、絵巻のかたちで伝わっている。金有珍「「秋夜長物語」の絵巻と奈良絵本について」(『第三八回 国際日本文学研究集会会議録』二〇一五年)によると、最も古い室町中期の作品はニューヨーク、メトロポリタン美術館蔵本だという。石山寺で美しき稚児を見出す場面は柴垣ごしの垣間見として描かれている。

図8 「秋の夜の長物語」(1400年頃)(ニューヨーク・メトロポリタン美術館蔵)

稚児は観音の化身

「秋の夜の長物語」が、最後に、かの稚児、梅若君は石山寺の観音の化身だったのだとするのは、これもまた稚児物語の定石である。奈良の菩提院の観音の由来を語った「稚児観音縁起」がそれを最もよく表している。「稚児観音縁起」は鎌倉時代末期、一四世紀初期の作品とみなされている。

物語は、齢六十になるのに、弟子がいないことを嘆いた奈良のある上人が、長谷寺に参って、三年のあいだ月詣でをするから弟子を一人授けてほしいと願をたてるところにはじまる。

三年がたったが、まだ弟子がいない。最後の長谷寺詣でをした帰路、一三、四歳ばかりの美しい稚児が横笛を吹いているのに出逢う。

師匠と喧嘩をして、帰るところがないというので、上人は喜んで連れて帰った。ところが、三年がたったころ、この稚児は俄かに病づき死んでしまう。遺言に、私が息絶えたあとも土に埋めたり荼毘にふすことなしに、棺にいれて持仏堂に置き三十五日過ぎたら開けてみるべしとあった。その日がきて、棺を開けてみると、えもいわれぬよい匂いがただよい、金色の十一面観音が現れた。

観音は、微笑みながら上人に告げる。「私は衆生得度のために初瀬山の麓に住んでいたのだが、汝の多年の願いをかなえるために童男にかたちを現じて今生だけでなく来世もと二世の契りを結んだのだ。今から七年後の八月十五日に必ず迎えにくる」。言い終えると雷光のような光を放って虚空に上り、紫雲のなかに隠れた。

「秋の夜の長物語」にも「石山の観音の童男変化の徳」と語られていたように、稚児は観音がこの世に現じた姿なのである。したがって、僧侶と稚児との性的関係は、観音と交わっている徳の高い行為と妄想されていたのである。

「稚児之草紙」のエロス

鎌倉時代につくられた春画は、「稚児之草紙」「小柴垣草紙」「袋法師絵詞」の三点で、そのうち「小柴垣草紙」「袋法師絵詞」が女性のヘテロセクシュアルな欲望を描いたものであることは第二回「そのエロはだれのものか」に紹介した。ここでは男性の男性への欲望を描く男色絵巻たる「稚児之草紙」をみていきたい。「稚児之草紙」は、元亨元（一三二一）年の奥付を持つオリジナルとおぼしき一本が京都醍醐寺の三宝院に秘蔵されているらしい。この作品は幾度も請われて写しを増殖させていったようで、二〇一五年秋の永青文庫「春画展」に出品された大英博物館蔵本も江戸時代の模本でありながら、虫食いの状態まで正確に写しているというから、これが醍醐寺本をうつしたものである可能性は高い。別冊太陽『肉筆春画』（平凡社、二〇〇九年）で全体像が確認できる。

構成は全五段で、仁和寺、嵯峨、法勝寺、北山を舞台に、それぞれに異なる僧と稚児の物語が展開する。詞書のほかに、絵の中に僧と稚児のセリフを書きこんだ画中詞も添えられている。詞書と画中詞は、福田和彦編『艶色浮世絵全集 第一巻 肉筆絵巻撰【壱】』（河出書房新社、一九九五年）に拠る。

稚児愛ものはどの話でも、恋心を抱く僧がいじましく、稚児がかいがいしく相手をしてやるといった構図になっている。第一段では、験者として名高い貴僧が、それでもなお男色をやめることができず、お気に入りの稚児がいるのに盛りをすぎた身でなかなか挿入が果たせないでいる。稚児は望みをかなえてやりたいと、乳母子（めのとご）の男を相手に、挿入してもらったり、大きな張形を入れてもらったり、油を塗りこんだりして備えたので、「少しもとどこおりなく入りけり」というのである。これを「かように心に入りてする児も有難くこそ侍らめ」と讃えている。一方、準備に駆り出された乳母子のほうはたまったものではない。「まら生（お）えて堪えがたきままに、千摺りをぞかきける」状態である。

第三段は、ときどき通ってくる僧といい仲になった稚児が、主人に隠れて風呂場で関係する話。第四段では、夜ごと立ちん坊をして悪情を好む稚児が登場する。この稚児は見目うるわしく、見る僧はみな心惹かれてしまう。ある年配の僧も想いをかけるが、男色関係を絶っているのかやせ我慢をしているうちに本当にやせ衰えていく。稚児は同情し、足を洗ってくれといって誘ってやる。足を洗わせながら「あやまちなるようにて尻を出して見せた」りして、法師を誘導するのである。といった具合でどの段も、稚児との絡みが描かれどおしの春画らしい春画である。物語性がさほどないことから、絵をみせることに重点がおかれている絵巻とみえ、見れば見るほどエロティックというよりは、即物的な感じがしてこなくもない。この絵巻の価値をあげているのは、おそらくは、いまだに醍醐寺三宝院蔵本の全容が知られないままにあることである。印刷物によって知られる前は、まさに秘蔵の一本を見せてもらうことにこそとびきりのエロスがあったのだろう。

稚児愛と同性愛

あるいは、稚児愛という永続性のなさ、はかなさにこそエロスがあるのかもしれない。稚児物語には稚児が成長してのちまでを共に生きるような物語は描かれない。男色物語の多くは一六歳の絶頂期の稚児を描き留め、そして悲劇的な結末によって関係を途絶させてしまうのである。稲垣足穂は『少年愛の美学』（角川文庫、一九六八年）において、少年を次のように説明している。

女性は時間と共に円熟する。しかし少年の命は夏の一日である。それは「花前半日」であって、次回はすでに葉桜である。原則的には、彼が青年期へ足をかけ、ペニス臭くなったらもうおしまいである。その時彼は「小型の大人」であり、朝顔の前の夕日で、「小人（しょうにん）」ではないからだ。少女と相語ることには、あるいは生涯的伴侶が内包されているが、少年と語らうのは、常に「此処に究まる」境地であり、「今日を限り」のものである。それは、麦の青、夕暮時の永遠的薄明、明方の薔薇紅で、当人が幼年期を脱し、しかもP意識の捕虜にならないという、きわどい一時期におかれている。

成長のはざまにあるごく短い期間を「少年」として捉え、その特徴は「P意識の捕虜」になっていない時期であらねばならないとする。稲垣足穂は、この一書のなかで、性器的なV（ヴァギナ）やP（ペニス）以外の性の在り方をA（アニュス）に求めている。フロイト理論なども引用されて熱のこもった議論を展開しているのだが、そのVでもPでもないAの可能性については次のように述べている。

深部の世界という点においては、Aには単なる「恥部」以上の意義がある。それは先験的エロティシズムの拠点なのである。この次第はしかし、幼少年的な孤立にあるのでない限り、何人にも感知されるという訳合いのものではない。VP両感覚が終る処で識別されることから云えば、それは「セックスの彼方」であるが、又、VP両感覚が始まる前に感知されるということから云えば、それは「セックス以前」である。未だP感覚に目ざめない時期では、「女性思慕」とは即ち「女性羨望」であって、先方の肉体構造に主眼点がおかれている。ここではP感覚的仲介は別に必要としない。それは原始受動性への志向とでも云うべきもので、A感覚だけで十分なのである。この時期にあっては、Pは未だ性器ではない。

要するにペニスの快楽に集約されてしまう前の、P感覚以前の、A感覚への集中の一時期が少年愛の対象となるというのである。

たしかに「稚児之草紙」に描かれた絡みの図において、僧侶が稚児のP感覚を刺激する図は一つもみられない。もっぱらA感覚への刺激のみが描かれているのである。その一方僧侶のP感覚への刺激が稚児の手からなされている図もある。まさしく稲垣足穂のいうように、「稚児之草紙」では、P感覚に目覚める前の一瞬の輝きに稚児のエロスが見出されているのだろう。

稚児との性愛が永続性を持たない稀有な瞬間で、だからこそそれが物語として描かれたのだとするならば、物語の裏にはもっと多くのお話にならないようなありふれた男色関係があったということになる。稚児愛の物語ばかりだから、成年男性同士の性愛はなかったということにはならない。成長してしまった稚児との関係が延々と続いたり、大人の男同士の性愛関係など、物語に描かれなかったことは、なかったことではなくていかにもありふれたことだったとみるべきである。

そういえば、ヘテロセクシュアルの恋愛を描く物語でも、お手付きの女房との性愛などはほとんど描かれていない。そういうことがあったことは書かれても物語の主題にはならなかった。同様に、女性同士の性愛についてもほとんど描かれていない。稚児物語の類推で考えるならば、これらもまた、お話にならないほど陳腐でありふれていたということだろう。中世の同性愛は、タイクツな日常のなかに紛れてしまっているのである。

コラム2　空を飛ぶ

古代人の妄想力たるや、空は飛ぶわ、龍に乗るわ、動物が人間に変身するわと特撮映画なみである。空を飛ぶのは、たいてい仙人と相場が決まっている。『日本霊異記』上巻第十三「女人の風声なる行を好みて仙草を食ひ、現身を以て天を飛びし縁」は、清貧の極みをにこやかに耐えた女が空を飛ぶ話だ。「大倭国宇太郡漆部の里に、風流なる女有りき」とあって、小学館の新編日本古典文学全集本では、表題の「風声」と第一文の「風流」ともに「ミサヲ」と読ませている。意味としては「世俗の名利から離れ、身を清らかに高邁な行いをさす」として「心の高潔な女がいた」と訳文をつけている。高邁とか高潔というのが、どんなものだか現代人にはわかりにくいが、要するに貧乏でも笑顔を絶やさない女であって、忍耐強い女なのである。この女は漆部の造麿の妻であった。生まれながらにして忍耐強く、人となりは家事に従事するタイプ。七人の子を産み育てているが、困窮し、食べ物もなく、子を養うすべもない。衣もないので、藤をつづれ織りにして着ている。日々、沐浴して身を潔め野にでれば食べられる草をとってくるし、家にいれば掃除をする。とってきた菜を調理しては子どもをきちんと座らせて、笑顔で語りかけ、感謝をもって食べるようにさせる。日々常にこのようにしていた。その忍耐強さはあたかも天上からの客人のようであった。孝徳天皇代白雉五（六五四）年、その忍耐強さに「神仙」が感応したので、春の野に菜をつみにでたときに、「仙草を食ひて天を飛びき」とある。仙草は、仙人になれる魔法の草だ。女はついに仙人となって天上界へ行ってしまったというのである。『日本霊異記』はここに次のように付け加えている。

> 誠に知る、仏法を修せずとも風流（みさを）なるを好めば、仙薬の感応することを。精進女問経（しやうじんによもんきやう）に云（のたま）へるが如し。「俗家に居住するとも、心を端（ただ）しくし、庭を掃（はら）へば、五功徳を得む」と者（のたま）へるは、其れ斯れを謂ふなり。
>
> （新編日本古典文学全集『日本霊異記』小学館、一九九五年）

極楽往生したという往生譚とはちがって仙人になったという話なのだから仏教は関係がない。だから仏法を修せずとも清貧であれば、仙薬が手に入ってしまったりするのであると『日本霊異記』はいう。あとからとってつけたように『精進女問経』にもそう書いてあるというのだが、なんといっても女は「仏法を修せずとも」現し身のままに空を飛んだというのが話の肝なのである。もともと仙人は道教由来なのだから仏教とは別の話である。仏教であれば、女が成仏するには男に変じなければならないなどと制約があるが、仙人になるのならそんな心配もいらない。女であっても仙草を食べれば仙人になれてしまうし、空も飛ぶのである。同話を収めた『今昔物語』巻第二十第四十二「女人依心風流得感応成仙語」では、あくまでも仙薬の効能を結びとしている。

> 心風流ナル者ハ、仏法を不修行ト云ヘドモ、仙薬ヲ食シテ、此ク仙ト成ケリ。此ヲ服薬仙ト云フナルベシ。心直クシテ仙薬ヲ食シツレバ、女也ト云ヘドモ仙ニ成テ、空ヲ飛ブ事如此シ。
> 然レバ、人猶心ヲ風流ニシテ、凶害ヲ可離キ也、語リ伝タリトヤ。
> (新編日本古典文学全集『今昔物語』③、小学館、二〇〇一年)

心に忍耐あれば、仏法を修行しなくとも仙薬を食して仙人となるのだ。これを「服薬仙」すなわち薬で仙人になった人というのである。心をただしくして、仙薬を食すれば、女なりといえども仙人になって空を飛ぶことかくの如しであるという。この「女なりといえども」という言い回しが仏教的な気もするが、しかし仏法とは関係ないと断言し、仙薬によって仙人になるという第三の道を女に示すのはめずらしい。したがってこの話の教訓は、ともかく忍耐強く、凶害から離れているべきだ、ということになる。『今昔物語』のバージョンのほうが潔い。おそらくはこれが原話であって、『日本霊異記』では最後につけたりをしたものとみえる。

平安宮廷物語はたとえば『源氏物語』をみると生霊、死霊がとり憑くなどがあるにせよ、リアリズム小説の趣きがあるのだが、外国に渡っていく話になると知っている者はいないとふんでか、はたまた作者自身も妄想で書いているからか、なんでもあり様相をていする。『宇津保物語』の冒頭「俊蔭」の巻では、遣唐使として唐に赴く途中で嵐にあい波斯国に流れ着いた俊蔭が空を飛ぶのである。渚に打ち寄せられた俊蔭は観音に庇護を祈る。すると鞍をつけた馬が現れて、俊蔭を乗せると空を飛んで、三人の仙人が琴を弾いて遊んでいるところへ連れて行ってくれるのである。俊蔭を降ろすと馬は忽然と消え失せた。『宇津保物語』によると仙人というのは山に棲む人であり、妖術がつかえる人のようだ。

ところで日本でもっとも有名な仙人は役行者(えんのぎょうじゃ)だろう。『日本霊異記』上巻第二十八「孔雀王の呪法を修持して異(めづら)しき験力を得、以て現に仙と作(な)りて天を飛びし縁」は、修験道の祖である役行者の話である。ここでは「役の優婆塞」と呼ばれていて「賀武(かも)の役(え)の公(きみ)、今の高賀武(たかかも)の朝臣(あそみ)」という人で大和国葛木上郡茅原の村の出だという。生まれながらに博学で仏道に帰依して修行していた。この役の優婆塞の望みは、五色の雲に乗って空を飛び、仙人たちと遭って飛び回ることだったという。いったいどんな書物を読んだらこんな妄想力いっぱいの望みを持つようになるのだろう。そのために、役の優婆塞は、山中の巌谷に棲み、葛の衣を着て、松を食べ、清水の泉で身を潔めて暮らし、孔雀の呪法を修習して、不思議な「験術」を手に入れた。その験術を使って、鬼神を自在に操れるようになった役の優婆塞は「金峯山と葛城山のあいだに橋をかけわたせ」と命じる。山と山を一足飛びにつなぐ橋があれば便利にはちがいないが、山の神はそれは困ったことだと思っていた。そこで葛城山の一言主の大神が人間に乗り移って「役の優婆塞がはかりごとをして、天皇を滅ぼそうとしている」と讒言した。一言主大神は一言多い神なのである。

ときの文武天皇は、役の優婆塞を捕えるように命じるが、験力によって逃れてしまうので、代わりに役の優婆塞の母親を捕えたところ自ら出頭してきた。役の優婆塞は伊豆の島に島流しとなったが流されてもへこたれないのである。なぜなら役の優婆塞は空を飛べるのであった。その姿、ほとんどバードマンである。高い山にうずくまり、飛び立つ。その姿ははばたく鳳凰のようであった。昼間はおとなしく島にいるが、夜になると羽ばたいて富士山頂で修行した。三年を経て大宝元（七〇一）年正月に赦免され、都に帰ることができたが、ついに仙人となって天に飛び去った。五色の雲にのって仙人と遊ぶことができたのかどうかは書いていていない。

『日本霊異記』は後日譚として、役の優婆塞が新羅に現れた話を加えている。唐へわたった道照法師が五百頭の虎に頼まれて山中で『法華経』を講じたときに、中に人がいて倭語で質問してきた。誰かときけば、役の優婆塞だという。道照法師は「我が国の聖人なり」と思って、高座より下りて探したが忽然と姿を消していた。仙人とは仏教と無関係であっても法師も認める「聖人」、つまり悟りをひらいた人なのである。ところがこの話は歴史的にはあり得ない設定なのであった。道照法師の入唐は、白雉四（六五三）年から斉明六（六六〇）年で、役小角がついに仙人となって天に飛び立ったのが大宝元（七七〇）年だと語っているのだからどうしたって矛盾するのである。マジメに考えるとこれは役の優婆塞の前世の出来事ということになってしまう。おそらくはどうしても『法華経』という仏法に役小角物語を結んでおきたいという欲望が、時間の矛盾をものともせずに虎に説法という、とびきりファンタジックなお話に接続させてしまったのにちがいない。そもそも入唐した法師がなぜわざわざ新羅に招かれていく設定になっているのかも謎である。

同話を収めた『今昔物語』巻第十一第四「道照和尚亘唐伝法相還来語」では、この箇所は、虎に説法するという無茶な話にはなっていない。新羅の国の五百の道士の依頼を受けて『法華経』を講じたとある。道士たちに交じって役行者がいるのなら、それほど奇妙でもない。ただ我が国のことばで質問する者がいたので誰かと問うのである。ここで彼は自らを役の優婆塞だと明かしただけでなく、なぜここにいるかまで説明している。曰わく「日本ハ神ノ心モ物狂（ものくる）ハシク、人ノ心モ悪（あし）カリシカバ、去（さり）ニシ也。然レドモ、于今（いまに）時々ハ通フ也」（『今昔物語』①）。神の心も人の心も悪いというのだが、物狂はしい神の心とは島流しの原因をつくった一言主大神の讒言を指しているにちがいない。では「人の心」のほうはというと、ここには語られていないまた別の讒言話があるのである。『三宝絵』中第二条では、そもそも讒言をしたのは、役優婆塞に師事していた外従五位下韓国広足（からくにのひろたり）だとしている。これは『続日本紀』文武三年五月二十四日条が次のように記していることに拠る。

> 役君小角（えのきみをづの）、伊豆嶋（いづのしま）に流さる。初め小角、葛木山（かづらきのやま）に住みて、呪術を以て称（ほ）めらる。外従五位下韓国連広足が師なりき。後（のち）にその能を害（そこな）ひて、讒（しこ）づるに妖惑（えうわく）を以てせり。故（かれ）、遠き処に配（なが）さる。世相伝（あひつた）へて云はく、「小角能く鬼神を役使して、水を汲み薪を採らしむ。若し命を用ゐずは、即ち呪を以て縛る」といふ。
>
> （新日本古典文学大系『続日本紀一』岩波書店、一九八九年）

役小角は葛木山に棲み呪術にすぐれていた。外従五位下韓国連広足は役小角を師としていたが、後に讒言したとある。「外従五位下」と位まであきらかなこの韓国連広足という人もまた呪術にすぐれた道士であったので、役小角を師とあおいだわけである。つまり役小角としては弟子に讒言されたというわけで、嫌気がさして日本を去ったというのもわかる気がする。

『続日本紀』には、一言主大神の話は当然のことながら出てこないのだが、『三宝絵』には「爰ニ外従五位下韓国広足、ハジメハ是ヲウヤマヒテ師トシキ。後ニハソノ神ノカシコキヲミテ、公家ニ讒シテ、是ハ世ヲ狂カスアシキ物也。国ノタメニアシカルベシ。ト申。」（新日本古典文学大系『三宝絵／注好選』岩波書店、一九九七年）とある。「神ノカシコキヲミテ」とあるから韓国広足が讒言した理由はどうやら一言主大神に対してひどいことをしたためのようである。

この韓国広足という人は、『続日本紀』によると天平四年十月十七日条で「外従五位下物部韓国連広足を典薬頭」とあって、宮中にあった典薬寮のトップにのぼりつめている。宮中の典薬寮には、医薬の専門だけでなく、呪術を行う呪禁師が配属されていた。この記事では広足は物部韓国連とされており、物部でありながら新羅との結びつきが強調されている。新羅こそが道士のメッカだと妄想されていたのだろう。ならば、役小角が仙人になったのち、再び姿を現わすのは新羅の地でなければならない。虎五百頭のなかに現れる方がすごそうだけれども、本来道士五百人の集りにやってくる話であるべきだろう。

『日本霊異記』のこの話にはもう一つ後日譚がつく。朝廷に讒言して役小角を落とし入れた一言主の大神は、その後「役の行者に咒縛せられて、今に至るまで解脱せず」という。『三宝絵』では、一言主大神が人に取り憑いて讒言する前に、一言主を捕らえて呪術を以て縛って谷の底にうちおいた、とある。したがって、『三宝絵』の結びには、葛木山の谷底には常にうめき声が聞えるので人がいってみてみると大きな岩に藤がからみついて縛られたようになっていた。そこでこの藤を切ってやるのだが、すぐに元のごとくに戻ってしまうのだったとある。役小角の呪いはいまだ解けていない。今も葛木山の谷へ行けば藤づるに巻かれた岩がそこにあるのだろう。

第五回　なぜ海の神は女でなければならないか

極彩色の信仰心

仏像にしろ神像にしろ、今なお信者に篤く祀られ、深い信心を集めている聖像は、奈良、平安時代のセピア色の像を見慣れている者にとって、こう言っては何だが、どうにもおもちゃっぽくキッチュにみえてしまうということがある。たとえばタイの金ピカの仏像、インドの色鮮やかなヒンドゥーの神々など、いきいきとした信仰のなかにあればあるほど、そこに祀られている像は古びてくたびれたものなどではなくて、常に新調されてきらびやかであるのがふつうだ。たとえばヒンドゥーの女神ラクシュミーの祭で、インド南部の家庭に飾られていた像は黄色い顔面によく似あう鮮やかなブルーの衣を着せたものであった。象の姿のガネーシャにしろ、シヴァ神にしろ、ヒンドゥーの神像はどれもカラフルである。

もちろん奈良、平安の像だってつくられた当初は、まばゆいほどの極彩色で飾られていたのである。しかしあまりに長いあいだ、すすけ、色褪せた像を愛でてきた目には、もはや派手な彩りの像を美しいと思う心は失われてしまっている。

たとえば奈良、興福寺の阿修羅像の復元模造が発表されたとき、多くの観者は心底がっかりしたのである。眉根をよせた気難しげな顔つきの少年の面ざしを愛でてきた者にとって、鮮やかな朱色の皮膚はあまりに毒々しく、おまけにくろぐろとした口髭が描かれていたことにほとんど嫌悪にも似た拒絶反応を示した。確信に満ちたような青い瞳でこちらを見返すその表情はややふてぶてしく、これまで最大の美点として語られてきた少年っぽさのかけらもなかったからである。

しかし、奈良時代や平安時代の都を復元してみるなら、どこもかしこもこんな色合いでできていたのであって、そのことは平等院鳳凰堂のCGによる復元画像をみればよくわかる。金色の阿弥陀像を囲んで、天井から柱までカラフルな文様でにぎにぎしく飾られている。そうでなければ、どうして夢のような極楽浄土を想像することができよう。極楽がシックなモノクロームの世界だったら、死後の世界に希望が持てるはずもない。

極彩色を認められないということは、その意味で、極楽への夢を忘れてしまったということなのであって、信仰心のすでに失われていることをあらわしているのである。だから退色しきった古い仏像にうっとりしがちな私たちは、よけいに妄想力を駆使して信心を思い描く必要がある。

ところで横浜の中華街に媽祖廟ができたのは二〇〇六年のことである。真新しい媽祖像が祀られたわけだが、そもそも香港であれ、マカオであれ、台湾であれ、媽祖像というのは、そのように新しげに艶めいているのである。香港、マカオ、台湾の媽祖廟は、いつ行っても信者であふれ、参拝者の奉じた線香の煙でむせかえっている。そもそも線香自体がびっくりするほど長くて大きい上に、頭上には渦巻き状の巨大な線香がいくつもぶら下げられているのだから、廟内は真っ白に煙っている。そのたちのぼる煙が神との通信を可能にすると信じられているから、いとも盛大にくゆらせているのである。

媽祖は、一〇世紀後半に中国福建省に実在した女性が死後に神格化した航海の守り神である。その後、海を渡ってきた人々に運ばれて、香港、マカオや台湾など、とくに海に近い地域で信仰を集めた。横浜中華街が媽祖廟を祀るのも、中華街である以上にそこが港町であることが大きい。ところで媽祖の信仰において、船出する漁師は男性だったにもかかわらず、海の異変を感受するのが女性だったのはなぜだろう。なぜ海の守り神を女性として妄想したのだろう。

海神を味方につける

『源氏物語』で海の神として登場するのは住吉神である。住吉神は、イザナミを追って黄泉の国を訪ねたイザナギが黄泉の国の穢れをすすぐための禊祓で生まれた海の神、九神のうち、底筒男命、中筒男命、表筒男命の男神三神で成る。住吉大社は大阪湾にほど近いところに位置し、京都から淀川をくだってやってきて、海へと出て行くちょうどその出入り口のところに鎮座する。

『源氏物語』の主な舞台は京の都だから海からは遠い。しかし「須磨」巻で、光源氏は、兄朱雀帝後宮に入内するはずだった朧月夜の君と関係したことが原因で、朱雀帝の母、弘徽殿女御の怒りを買い、須磨に蟄居することになる。三月の巳の日に、光源氏は陰陽師を呼んで海辺へ出て祓えをする。今日の流し雛の習俗に通じる儀式で、おのれの邪気や穢れを人形につけて舟にのせて流すのである。するとにわかに空がかき曇り、大嵐となる。海の中に棲む龍王が自分を気に入ってとり憑こうとしているのかもしれないなどと源氏は思う。京の都でも雷鳴がとどろき、天の怒りを鎮める儀式をしているという便りがあった。光源氏は、海の神たる住吉の神に一心に祈りを捧げる。

「住吉の神、近き境を静め守り給ふ。まことに迹を垂れ給ふ神ならば、助け給へ。」
（この辺りの国を守護する住吉の神よ、まことにこの地に垂迹する神ならば、助けたまえ。）

また海の中の龍王などさまざまな神々に祈りを捧げたが、邸に雷が落ちて一部が焼け落ちる惨事となった。夜通し念仏を唱え、疲れ果てた源氏はふとまどろんだ夢に亡くなった父、桐壺院の姿を見る。「なぜ、こんな辺鄙なところにいるのだ。住吉の神の導かれるままに、すぐにも舟を出してこの浦を去るのだ」と父院は言った。翌朝、明石の浦から光源氏を迎える舟がやってくる。これこそ住吉神の導きだと源氏は明石に移った。

そこに待ち受けていたのは、明石の入道。娘を源氏と娶せて都へ連れていってほしいと願っている。この願いを叶えるために、入道は長年、住吉の神に願をたて祈りを捧げていたのだった。住吉神の引き合わせで実現した光源氏と明石の君の出逢いは、明石の君の生んだ女君がのちに天皇の后にのぼることで、光源氏、明石の入道双方の栄華の礎となっていく。したがって海の神というのは、ここではただ海辺の平穏や航海の安全のためにあるわけではなくて、壮大な運命を司

図９　「大織冠絵巻」（恋田知子『薄雲御所　慈受院門跡所蔵　大織冠絵巻』勉誠出版、2010年）

る力を持つ神として考えられているのである。その一端に住吉神の龍王を治める力というのが見出されているのに違いない。

というのも、権力者としてのぼりつめるためには、龍王の娘と結婚して海神の力を味方につけることが神話的レベルでも実際の政治的手腕としても必要だと考えられていたからである。

たとえば能の演目「海士（あま）」にも語られている海女の玉取り説話は、藤原氏が龍王の娘と結ばれた伝説を語る。藤原氏の始祖鎌足の娘は唐の皇帝に見初められ后となった。ところが鎌足はその返礼に中国から贈られた玉を讃岐国の志度の浦で龍王に取られてしまう。この玉を取り返そうと鎌足の息子、不比等は海女と関係を結び、海女は男子を産む。海女は、房前と名づけたこの息子を必ず都で藤原氏の跡継ぎとしてくれるように頼み、自ら海へと潜って龍宮から玉を取り返そうとする。しかし海面に浮上する途中で龍に見つかってしまい、海女は持っていた剣で乳の下をかき切って、自らの体内に玉を隠し、命と引き換えに取り戻した。

能「海士」では、その海女の産んだ息子房前（ふさざき）大臣が、母の供養のために志度の浦を訪れ、母の霊に顛末を聞く構成となっている。最後に、『法華経』の龍女成仏譚が引用されて、母の成仏と重ね合わされているから、この海女は龍女とみなされていることになる。同じ話を、藤原鎌足と海女の物語として語るのが「大織冠」であり、「大織冠絵巻」も多くつくられた。

龍女は海女である

さて、能「海士」の最後に引かれている龍女成仏譚であるが、これは『法華経』に語られている女人成仏の物語である。女の身は穢れているから仏法の器とはならないという女身垢穢(にょしんくえ)、女人の身には五つの障りがあって、梵天、帝釈天、魔王、転輪聖王、仏身にはなれないという女人五障(にょにんごしょう)があるというのに、文殊の教えによって、海中に棲む八歳の龍女が成仏したと語られる。この龍女が女の「障害」をどのように乗り越えたかというと、極楽往生する直前に男子に変じて、女の身体を捨てることによってである。男子に変じることを変成男子(へんじょうなんし)というのだが、要するに女は女の身体のままでは成仏できない、したがって仏しかいない極楽にいくことはできないというのが仏教の基本思想である。この変成男子という身体の変身は、比喩的な意味ではなくて、サンスクリット語の原文をみると「女性の性器が消えて男子の性器が生じ」たと説明されていて、つまりは性器的身体（セックス）が男性である必要があったわけである。

龍女成仏譚とはかくも男性中心的に妄想された女人往生の物語なのだが、さしあたってここで問題としたいのは、龍女に成仏してしまうほどの力が与えられている点である。この龍女と子をなすことが、藤原氏の繁栄を裏付けているわけである。その龍女のイメージが、物語において海女としてあらわされるのは、海深く潜って行き、貝などを取り、そこから真珠を手に入れることが龍の宝である宝珠を手に入れることのようにもみえるからなのであろう。龍はしばしば玉を握る像で描かれていて、龍の宝が玉であるというイメージは良く知られている。その玉を海から引き揚げてくるのは海女だから、海女が龍の娘へと妄想的に置換され得るのである。

『日本書紀』の允恭天皇紀には、真珠（しらたま）をとる海人の逸話が記されている。天皇が狩りをしに淡路島に行ったとき、まったく獲物がかからなかったため、占いしてみると、島の神に明石の海底にある真珠を捧げよとのお告げがあった。そこで、海人（あま）の男狭磯（をさし）が海に潜り大アワビをかかえて上ってきて息絶えた。アワビのなかには、桃の実ほどの大きな真珠があったので、これを島の神に祀ったという。

『源氏物語』「明石」巻には、これらの説話が響いてくることばが仕込まれている。光源氏は「あはと見る淡路の島のあはれさへ残るくまなく澄める夜の月」という玉取り説話の舞台となった淡路島をよみこむ歌を詠んでいるし、明石入道は、箏の琴を弾きながら、光源氏に「伊勢の海」という催馬楽を披露している。この歌詞に「伊勢の海の 清き渚に 潮間（しほかひ）に なのりそや摘まむ 貝や拾はむや 玉や拾はむや」とあって、貝を拾い、玉を拾う海女の姿が謳われている。住吉神の導いた関係は、海女でありかつ龍女たる明石の君と子をなすことであったということになるわけだ。

中世版八幡神話

淡路島の玉取り説話は、もともと『古事記』『日本書紀』の神代に海幸山幸神話として知られる物語に関わっているだろうし、さらに海幸山幸神話は、結末を龍女との結婚で結んでいるという点でも、藤原氏興隆の始祖譚である海女の玉取り説話に密接にかかわっている。

『日本書紀』によると、兄海幸は釣りをする漁師、弟山幸は狩りをする猟師であった。ある日、二人はお互いの道具を交換してみるのだがうまくいかない。おまけに弟は兄の釣り鉤を海に落としてなくしてしまった。怒った兄は、海底からその釣り鉤をとってくるよう命じる。こまった弟山幸は、潮の流れを司る神、塩土老翁（しほつちのをぢ）に相談し、籠のなかへ入って海にしずめてもらい、龍宮にたどりつく。ここに出てくる、潮の流れを司る神は、のちに中世になって海幸山幸説話を取り込んでつくられた神功皇后説話に出てくる住吉神像に重なる。

龍宮城で山幸は、海神の娘豊玉姫を娶って楽しく三年の月日を過ごしたのち、地上へ戻る。このとき手渡されるのが、潮満珠（しほみつたま）と潮涸珠（しほふるたま）という二つの玉である。潮満珠をつかえば海水が満ちて、潮涸珠をつかうと潮がひいたように海水が引く。これは兄海幸をこらしめるために使われた。この海神にさずけられた玉によって、兄が弟に恭順する服属神話が成立する。支配者として立っためには、海神の助けを必要とするのである。さて、豊玉姫は産み月になって、妹玉依姫を伴って地上にやってくる。山幸はかねて約束した通りに鵜の羽を屋根にふいた産屋をつくって迎える。出産場面は、神話によくある「見るなの禁」のお話で、出産するところをどうか覗かないでくれと言われたのに、山幸は覗き見してしまうのである。出産中の豊玉姫は龍の姿に化していた。龍となった姿を見られた豊玉姫は、以後海の途を閉じて、地上との行き来ができないようにして龍宮へ帰って行ってしまう。豊玉姫は龍女だったのだから、山幸は龍女と子をなしたことになる。龍女の名が豊かな玉の姫であるのも龍と玉の関係をよく説明しているだろう。

鎌倉時代、一二六八年からのたび重なる蒙古国からの使節の訪れののち、元寇いわゆる蒙古軍襲来、あるいは文永の役（一二七四年）、弘安の役（一二八一年）へと発展する頃、朝廷は迫りくる蒙古軍の西の砦として九州で信仰されていた八幡神を頼みとし、あらたに中世版八幡神話を整えていく。八幡神は、神功皇后あるいは神功皇后の息子応神天皇を主神とおき、男神一体、女神二体の三神構成で成り、とくに神功皇后の説話が八幡縁起の中核を担っている。なぜなら神功皇后は新羅へと船出して対岸の新羅国に津波を起こし、戦わずして新羅国を帰服させ数々の宝を手に入れた逸話を持つからだ。敵国を帰服させる力のある神功皇后であれば必ずや蒙古軍を退けてくれるはずだと妄想されたのである。

『古事記』『日本書紀』によれば神功皇后が新羅へと船出したとき、すでに応神天皇を懐妊していたのだが男装して海を渡り、のちに筑紫で出産したとある。その産み処を宇美（うみ）と名づけたという地名由来説話が付随するのだが、単純に言って、海の神が女であるのは、「うみ」の語が「産み」とつながっているせいでもあるだろう。

さらに神功皇后を龍女のイメージへと接近させて再構成したのが、中世版八幡神話である。中世版八幡神話には、京都の石清水八幡宮で整えられた『八幡愚童訓』や九州の宇佐八幡宮で整えられた『八幡宇佐宮御託宣集』があるが、それとは別に、瀬戸内海沿岸でつくられた絵巻が多く伝存している。中世版八幡神話は、『古事記』『日本書紀』の神功皇后説話に、海幸山幸説話を加えて構成しなおされているのだが、神功皇后が新羅征討に向かう際、山幸が龍宮でもらったのと同じ二つの珠を龍神からもらい受ける挿話が付け加えられている。新羅国を目の前にして神功皇后は、まず乾珠（かんじゅ）を海に投げ入れる。たちまちに潮がひいて、敵陣が船に向かって攻めてくる。そこで満珠（まんじゅ）を投げて、満ち潮にし、敵陣をおぼれさせて降参させた。つまり中世版八幡神話では龍神の力を味方につけることによって新羅の服属がはじめて可能となったと語っているのである。

瀬戸内海沿岸でつくられた絵巻ではこの物語をベースとして、潮待ちの地として重要であった牛窓の地名由来説話が付け加えられているのが特徴だ。神功皇后が新羅に向けて船出すると、沖から大きな牛がやってきてその船を襲おうとする。乗り合わせていた翁が牛の角をつかんでひっくりかえして退治する。その牛はいまも島となって凝り固まっているのだが、その場は牛まろばしが転じて牛窓と呼ばれているというのである。実際に牛窓の海には牛のかたちに見えなくもない大きな島が横たわっている。

牛をまろばした翁はただの老人ではなくて住吉神であった。絵巻版では、新羅出征に際して、住吉神と神功皇后と、男女二人の航海の神が登場していることになる。中世版八幡神話では、神功皇后は新羅の地に乗り込りこんでいる姿も描かれているのだが、このとき住吉神は描かれない。住吉神は、牛をたおして船出を助け、龍王から二つの珠をもらうのに協力し、旅のはじめに登場するのみである。

龍女と子をなす

神功皇后は新羅征討ののち応神天皇を出産するのだが、この場面もまた海幸山幸説話の豊玉姫の出産の場面からとってきていて、鵜の羽で屋根を葺いたが、葺きおわらないうちに子を産んだとして、その子を鵜葺草不合命（うがやふきあえずのみこと）と名づけたとある。すると神功皇后は、龍王の娘、豊玉姫と重ね合わされていることになる。海の女神である神功皇后は、一方で龍王の娘でもあるのである。

さらに海幸山幸説話で語られた山幸と豊玉姫の説話を取り込んだ絵巻もある。たとえば鰐鳴八幡宮蔵「八幡大菩薩御縁起」や秋穂正八幡宮蔵「八幡大菩薩御縁起」のなかでは、神功皇后の子、応神天皇が龍王の娘を娶って龍王の孫を産むという話に展開していく。神功皇后の夫である仲哀天皇が新羅征討を成就させるために、神功皇后の孕んだ子がもし男なら龍王の婿に女なら龍王の后にさせるとの勅命を残したのである。仲哀天皇は新羅へ出向く前に没してしまうが、神功皇后は応神天皇出産ののち、天皇が約束した通りに応神天皇を龍王の婿とした。応神天皇と龍王の娘とあいだにうまれた子には蛇のような尾が生えていたと語られている。その不気味な尾を隠すために直衣という衣服がうまれたのだとも語られている。応神天皇の子は仁徳天皇だから、その尾の生えた子が仁徳天皇だと語り収めているものもあれば、石清水八幡宮蔵「八幡宮縁起」絵巻のように、この龍王の子は平野大明神としているものもある。

応神天皇が龍王の娘と結婚し子をなすのは、藤原氏の始祖が海女と結婚する海女の玉取り説話に語られてきた物語に類似する。婚姻は相手の力を自らのものとするための常套手段だが、海の世界を統べる龍王との婚姻関係が神話的に妄想されていたのである。

瀬戸内の海域を支配下におさめた平清盛が玄界灘の海の神である宗像三女神を祀る厳島神社を氏の社としたのも、海洋交通を掌握するためだけではなく、龍王の守護を妄想していたからなのかもしれない。源氏方は、宇佐に本拠地を持ち、九州全域で信仰されていた八幡神を氏神とした。それもまた新羅を抑えた軍神であり、海の女神でもある神功皇后の守護を求めていたためだろう。

中世版八幡神話の、海からやってくる外敵を退治する物語は、まずそれを成し遂げる神功皇后に龍女のイメージを付与し、さらに神功皇后の息子が龍女と結ばれ、子をなすことによって海神の力を掌握するものであった。権力者が海神と結ばれるとするなら、日本社会では、権力者はたいていの場合、男性なのだから、結ばれる相手は女性でなければならないということになる。ならば海の神は女神でなければならない。

実際は住吉神のように海の神に男神もいる。けれども龍女と子をなすことを妄想する権力者にとって、『源氏物語』がそうであったように、住吉神は、龍王の娘たる明石の君と結ぶのを手伝うのがせいぜいなのである。八幡縁起絵巻において、住吉神があくまで神功皇后を助ける補佐役に甘んじているのも同じ理由であろう。

京の都から海に出るには淀川を下って、住吉神社のある住之江に出るルートが一般的であった。すると住吉神が、神功皇后の船出を助けるのは地理的連想としてもわかりやすい。大海へ船出するまでを支えるのが住吉神で、いざ新羅へと大海原に出るにあたっては、龍神の加護が必要となる。そのとき龍王の娘のイメージが付与された神功皇后が海の女神として召喚されるのである。そこにもまた極彩色の篤い信仰があったにちがいない。

第六回　生きている仏さんにあうということ

生きている釈迦

京都の清凉寺は、嵯峨釈迦堂と呼ばれて、白檀の香木で造られた釈迦栴檀瑞像を本尊とする。ただし、これは並の彫像ではない。生身の釈迦像、つまり生きている釈迦像なのである。奝然（九三八～一〇一六）という僧が宋で作らせ、九八七年に持ち帰った像で、像高一六二・六センチメートルの等身大。髪型はよくあるつぶつぶしたと螺髪を貼り付けたものではなく、ウェーブのかかった髪を結い上げたようでより人間味がある感じがする。なにより特徴的なのは胎内に五臓六腑を持っていることである。像の内部に絹地でつくられた臓器が収められているのである。

そもそもこの像は、優填王思慕像という形式のもので、生きている釈迦の姿を写して造られた像だった。優填王は釈迦の教えたる仏教を保護したインドのウダヤナ王のことで、釈迦と親しかった。あるとき釈迦が亡くなった母、摩耶夫人に説法をするために忉利天に昇り地上を留守にしたので、それを悲しみ、釈迦を生き写しにした像をつくって、その代わりとした。というわけであるから、この像は、釈迦その人を象ったものであったはずなのである。それを模した像が次々と造られ、優填王思慕像としてインド、中央アジア、中国の各地に広まっていたわけだが、日本にはいまだもたらされていない像だった。奝然は、きっと釈迦に生き写しの像があると聞いて、ぜひともその模像を持ち帰りたいと思ったのだろう。しかも、その像は釈迦に生き写しであるだけではなく、生きている釈迦像として解されていたのである。

彫像の素材は、石か鉱物か木材であって、どうしたって素材として堅く冷たいもので、生身の肉体の柔らかさには程遠い。それでもなお、そこにしなやかさや肉体らしさを付与しようとするのは彫刻師の願うところであろう。たとえば、イタリアのベルニーニ（一五九八〜一六八〇）による「プロセルピナの略奪」の男がつかむ指の下の女の肌感の表現や、東大寺南大門の金剛力士像いわゆる仁王像の、風に吹きあがる柔らかな天衣なども、そうしたしなやかさへの挑戦の証だろう。

図10　ベルニーニ「プロセルピナの略奪」部分（ローマ・ボルゲーゼ美術館蔵）

その意味でいうと、清凉寺の釈迦像はあまりに硬直的だ。施無畏、与願の印を結んで、掌をこちらに向けて肩のあたりにかかげた右手と下に降ろした左手、肩幅に広げて蓮台に立つ足、それらのどれにも動きは感じられない。というのも、この像は動きによって生々しさを表現しているわけではないからだ。そうではなくて、像の胎内に入れ込んだ内臓によって、心臓を動かし、呼吸する像となると考えられたわけだ。そうしてみると、幾重にもひだをつくって体の線を拾って張り付く薄い衣の質感が意外にも肉感的な身体を表現しているようにも感じられてくる。五臓六腑の他に、荼毘に付した釈迦の舎利からとった歯、仏牙が込められており、これが釈迦としてこの像を生かす霊力となるのである。喉元には鈴がぶら下げられており、動かすと声の代わりに妙音を鳴らしたのだし、眼の奥には鏡が置かれて、眼前のものをありのままに映し込んでこの世を見つめている様が表現された。こうした生きている像への執念は、いっとき生身（しょうじん）ブームを巻き起こした。

ホンモノ志向と物語（フィクション）

その生身ブームの根底にはホンモノ志向があったと妄想される。仏教は平安貴族にすりより、宮廷社会との交わりのなかで次第に俗化していっただろうから、仏道を本気で極めようとする真面目な僧がホンモノ志向に傾いていくのは想像がつく。釈迦の聖地の天竺に行ってみたいと思いつめたり、せめて中国へ渡って高僧に教えを請いたいなどと考える僧が出てきても不思議はない。

奝然もおそらくはそんな僧だったに違いない。ホンモノこそが真理であると僧侶に言われれば、信者のほうもそのように傾いていく。奥健夫「生身仏像論」（『講座日本美術史』第四巻、東京大学出版会、二〇〇五年）によれば、『園城寺伝記』に「日本生身尊」として「三如来四菩薩」が記されているという。三如来は、「嵯峨の釈迦、因幡堂の薬師、善光寺の阿弥陀」、四菩薩は「三井寺金堂弥勒」が挙がっているだけで他の三つはまだ決まってない模様で、奥健夫は本当に四菩薩が存在したのか疑わしいとしている。嵯峨の釈迦は清凉寺の釈迦如来像である。因幡堂（平等寺）の薬師如来像は施無畏、与願の印相の左手に薬壺を持ち、肩幅に開いた足で直立する金色の像である。善光寺の阿弥陀如来像は一光三尊仏といって、中央の阿弥陀像に観音菩薩、勢至菩薩を脇侍とする三尊が一つの光背の前に置かれる形式の像である。いずれにしろ直立不動の像に動きはなく、これらの「生身」であることを支えているのは、像にまつわる物語なのである。

たとえば、鎌倉時代の説話集である『古今著聞集』巻第二、六二話（新潮日本古典集成『古今著聞集』上、新潮社、一九八三年）には、善光寺阿弥陀如来像を二度拝した源頼朝が、一度目は定印を結んでいたのに二度目にみたときには来迎印を結んでいたことから「すべてこの仏、昔より印相さだまり給はぬよし申しつたへて候へど、まさしく証を見たてまつりて候ひし」（一般にこの仏は、昔から印相が定まっていないことが伝えられてきたけれども、まさしくその証拠を見た）と述べたとしている。印相が定まっていないというのは、見るたびにポーズを変えるこの像の特徴を言っているので、生きているのだから、いろいろに手を動かすわけである。この挿話自体は源頼朝の「ただ人にはあらざりける」徳の高さをいうための話であるが、同時に善光寺の阿弥陀像は生きていることを示すものでもある。

あるいは鎌倉時代、後深草院に仕えた女房だった二条が、前半に宮廷生活を、後半に出奔し、旅してまわった先での出来事をつづった『とはずがたり』（新編日本古典文学全集『とはずがたり』小学館、一九九九年）にも、善光寺参りのことが書かれている。善光寺あたりは「眺望などはなけれども、生身の如来と聞きまゐらすれば、頼もしくおぼえて、百万遍の念仏など申して明かし暮すほどに……」（眺望などはないけれども、生身の如来だと聞いているので頼もしく感じて、百万遍の念仏などを唱えて明かし暮すうちに……）などと書かれていて、善光寺詣での主たる目的は「生身の如来」に参ることであったらしい。

こうして鎌倉時代には生身の如来としてすっかり有名になっていた善光寺の阿弥陀如来像であるが、清凉寺の釈迦如来像も、『宝物集』に語られた物語によってホンモノ感にますます磨きをかけていく。『宝物集』は、文楽、歌舞伎などの「俊寛」で有名なあの俊寛とともに平清盛に鬼界ヶ島に流された平康頼（一一四六～一二二〇）が編集した仏教説話集である。

赦免となり、俊寛を残して京へ戻った後、嵯峨の釈迦が天竺に帰ってしまうらしいという噂がたって京中の人々が最後の参詣につめかけていることを聞きつけた主人公が嵯峨の釈迦堂に向かうところから物語ははじまる。釈迦が天竺に帰るという噂が出ること自体、この像が生きている釈迦だと信じられていたことのなによりの証であろう。

釈迦堂では寺僧が集まった人々に釈迦像の由来を説明している。優填王が、忉利天にのぼって不在の釈迦を恋しく思って赤栴檀で姿を写した像をつくったというところは先に紹介した話と同じだが、釈迦が忉利天から戻ってきたときにこの像も迎えに出て釈迦が自分の似姿に次のように告げたことが付け加えられている。

「我は八十の化縁尽きなば入涅槃すべき身なり。梅檀の仏は、末代の衆生を利益し給ふべき仏なり」

（私は、八十の化縁が尽きると死して涅槃に入る身である。梅檀の仏は、私の死後に代わりに衆生のためになるべき仏である）。

（新日本古典文学大系『宝物集／閑居友／比良山古人霊記』岩波書店、一九九三年）

すると、釈迦像は、釈迦の姿の生き写しであるだけではなく、釈迦の死後に釈迦の役割を果たすべき後継者ということになる。そのような重要な像が梅檀像なのである。釈迦と直接対面し、後継を言い渡された梅檀像であるから他のどの釈迦像とも異なる特別な価値を持つ。だからであろうか、なんと清凉寺の釈迦如来像は中国の像の模像などではなくて、ホンモノの方をすりかえて持ってきたのだと寺僧は語りだすのである。

模像をつくらせていた奝然の夢に梅檀の仏がでてきて「我東土の衆生を利益すべき願あり。我を渡すべし」とおっしゃったのだという。そこで奝然は、真新しい模像を煙でいぶしてすすけさせ、古くみせかけて、ホンモノと取り換えて持ってきたのだという。それはつまり盗みをはたらいたということではないのかとの疑問もわくが、まさに仏の願いを叶えるためのすり替えだったのだから許されるのであろう。

さらにすごいことに、『宝物集』のこの話では、この像は天竺で優填王が造った像そのものであって、それがのちに中国へと渡ったということになっている。いつの間にやら、清凉寺の釈迦如来像こそが、優填王のつくった生きた釈迦を写し取った、正真正銘のホンモノの像なのだということになっているである。

ところが、釈迦像の胎内に収められていた「奝然入宋求法巡礼行並造立記」によると、この像をもたらした奝然自身はどうやら優填王思慕像を見ることすらできず、その姿を写した絵から像を造らせたとされる。したがって天竺像をそのまま持ち込むなどという話はまったくのフィクションである。しかもこの清凉寺の寺僧の話はかなりいい加減で、奝然が帰朝後、宇治殿に「優填王、赤栴檀を以て移し奉る釈迦の像を、たがへず移し奉る釈迦一体」と書いた解文を渡したと言っているのだが、奝然が帰朝した九八七年に宇治殿つまり藤原道長（九六六〜一〇二七）の息子頼通（九九二〜一〇七四）はまだ生まれてもいない。もし藤原摂関家に報告したというのなら、それは道長の父兼家（九二九〜九九〇）だったはずなのだ。

そうはいっても、胎内に収められた文書など誰も見ることができないのだし、そもそも像内に五臓六腑があることも、昭和二九（一九五四）年の解体修理まで広く知られてはいなかったのである。おそらくは口伝で伝わり、また秘伝であったものが、どこかで途絶えてしまったのだろう。真実は藪の中、というより像の中で、生身の釈迦として名高い像の霊性を高めるための物語がエスカレートしていくのも道理である。なんといっても縁起という、モノの由来を語る物語は信仰心を鼓舞するために創られるのであって、たいていの場合、造像の経緯をかたるための記録ではない。このさい真実などどうでもよいというのが縁起のあるべき姿である。信心するに値するありがたい像であるということさえ伝わればよいのである。

さて生身ブームのさなか、まさに「生身」をキーワードとして、また別な寺であらたな縁起が造られていくことになる。「当麻曼荼羅縁起絵巻」である。

平安貴族の夢と希望――「当麻曼荼羅縁起絵巻」

平安時代の宮廷社会で隆盛を極めた阿弥陀信仰は、死後に極楽往生するという来世観に支えられていたから、臨終のそのときに阿弥陀仏が来迎(らいごう)し、極楽へと導いてくれる物語と一体となって広まった。今でも死ぬことを「お迎え」が来るとか来ないなどと表現するところに信仰の断片が残っている。

極楽往生というのは、死後に極楽で仏として生まれ変わるという意味だから、お釈迦さまだって仏陀になったのは死後のことなのである。それなのに、いつからか釈迦ではなく、生きている阿弥陀仏に会いたいという無理無体な願望を生み出すようになっていく。生きている仏というのは語彙矛盾もいいところで、死なきゃ仏になれないというのに、生きている仏とはいったい何だろう。「当麻曼荼羅縁起絵巻」から類推するに、おそらくそれは動く仏像のようなものとしてイメージされていたのではないかと思われる。

鎌倉、光明寺蔵の「当麻曼荼羅縁起絵巻」は一三世紀半ばの成立が見込まれ、奈良、當麻寺に

図11　「当麻曼荼羅縁起絵巻」（小松茂美編『続日本の絵巻20　当麻曼荼羅縁起　稚児観音縁起』中央公論社、1992年）

伝わる曼荼羅の由来を語るものである。曼荼羅の縁起については、絵巻成立よりはるか以前の、建久二（一一九一）年に奈良の寺社を巡礼して書かれた『建久御巡礼記』の當麻寺の項に記されている。そこにあるのは次のような話だ。

横佩の大納言といふ人ありけり。かの御娘、明け暮れ極楽を願ひて、曼荼羅をうつさばやと願を起こされけり。年ごろ思ひながら過ぐる間に、一人の化人来て一夜の間織りて、行方を知らずと申す。この大納言御娘、一生が間、この仏に向ひて、たゆまず行ひて極楽にいきにけりと申し伝へたり。この仏の上の軸には、節なき竹の一丈余りなるをもちゐる。

（『校刊美術史料／寺院篇』上、中央公論美術出版、一九七二年。適宜表記は改めた。）

横佩大納言の娘が極楽往生を願って、曼荼羅をうつす願をたてると、「化人（けにん）」がやってきて一夜のうちに曼荼羅を織りあげた。その後その化人は消えてしまった。娘は一生のあいだ、この曼荼羅に向かって行を積み、極楽往生したと伝えられているというものだ。

この話が記録されたときからおよそ百年後につくられた「当麻曼荼羅縁起絵巻」（『続日本の絵巻』20、中央公論社、一九九二年に拠る）では、娘の願いは曼荼羅をうつしたいというのではなくて、「生身の如来」に会いたいというものになっている。この間に生身ブームが起こったらしい。

「絵巻」では、横佩大臣の娘はかねてから仏道に入りたいと思っている人で、『称讃浄土教』一千巻を書いて当麻寺におさめ、天平宝字七（七六三）年六月十五日に落飾出家するのである。そのとき七日を期日に誓願をたてる。「我、もし生身の如来を見奉らずば、この寺門を出でじ」（もし生身の如来をみることができないなら、この寺から一歩も出ない）というのである。すると、二十日に比丘尼がやってきて、次のように告げる。「あなたの志に打たれてやってきたのだ。九品の教主たる阿弥陀如来を拝み奉りたいと思うなら、私がみせてあげましょう。すぐに蓮の茎を百駄集めるように」。

図12 「当麻曼荼羅縁起絵巻」（小松茂美編『続日本の絵巻20 当麻曼荼羅縁起 稚児観音縁起』中央公論社、1992年）

この比丘尼は、物語の中で「化尼（けに）」と呼ばれているから、ただの尼僧ではない。『建久御巡礼記』の記録が「化人」としたのと同様、この世の者ではない超人性が予め付与されているのである。

集められた蓮の茎は糸に繰りだされ、染井とよばれる井戸にひたすと五色に染まった。二十三日の夕刻、天女のような「化女（けにょ）」がやってきて一晩で曼荼羅を織り出した。曼茶羅を節のない竹を軸としてかけて、娘と化尼（比丘尼）が拝んでいると、化女（機織り女）は、「五色の雲に乗りて、稲光（いなびかり）の消ゆるが如くして」天空へと去っていった。化尼が、曼荼羅の意味を絵解きして教える。そして化尼は自らの正体を明かして、次のようにいうのである。「我は、西方極楽の教主なり。織女（おりめ）は、我が左脇の弟子、観音なり」。そして西方をさして天空へと去っていった。

ここで化尼が、えいやっと空中に飛び立ち、泳ぐように宙に浮かんだ姿は、たちまち金色の阿弥陀の姿に変わる。この阿弥陀は、この絵巻の来迎図に描かれた阿弥陀と比較しても、仏像感が強くにじみ、「生身の如来」というのが、イメージとして生身仏として造られた仏像に結びついていることが明らかである。

物語の最後は、宝亀六（七七五）年三月十四日に横佩大臣の娘が極楽往生を遂げたことで語り収めとする。臨終の主人公を迎えるのは、観音菩薩、勢至菩薩を先頭に阿弥陀とともに、楽器を鳴らし、唄い、踊りながらやってくる菩薩たちである。この時代に、くり返し描かれた二十五菩薩来迎図という形式にのっとった図像がにぎにぎしく絵巻の最後を飾っているのである。この絵巻の眼目は平安貴族たちが夢みた極楽往生の物語にあるのは当然として、「横佩大臣の娘」として名前さえ与えられていない一介の女性が往生していく物語であることが重要である。そして名もなき一介の女性の極楽往生は、ここでは「生身の如来」とこの世で出逢ったことによってもたらされているのである。

生身の如来にあうこと

「当麻曼荼羅縁起絵巻」は徹頭徹尾、女の物語である。極楽往生を遂げた主人公が女性であり、それを助けるために顕れた阿弥陀の化身も尼であり、曼荼羅を織り出した観音も女房姿の女性であった。阿弥陀が男性であるのはもちろん、観音菩薩だって男性なのである。それなのにそれらを女性の姿で顕現させて、女性の極楽往生を助けるこの物語は、女性の読者のための救済の書であった。それも誰ともしれない女性の往生を語っているのだから、宮廷社会の一介の女房たちに強く訴える物語であったにちがいない。この絵巻の制作の経緯に、仁治三（一二四二）年から寛元元（一二四三）年に行われた、当麻寺曼荼羅をおさめている厨子と須弥壇の修理があったのではないかと目されている。修理の資金集めのために絵巻がつくられたとするならば、有力貴族の女性たちをターゲットとして、曼荼羅が女人往生にとっていかに大切なものかを訴える物語としたのだろう。

『法華経』にいわく、極楽には男しか行けない。したがって女は「変成男子（へんじょうなんし）」といって、男性の肉体に変じてはじめて極楽に入ることができるのである。要するに女のままでは極楽往生できないというのは、結局のところ、女は往生できないということなのであって、女の信心を徹底的に萎えさせる教義である。そもそも『古事記』『日本書紀』の天照大神にしろ、土着の信仰には女性が神として堂々と君臨していたのである。ところが宗教として組織化されるや、神道も仏教も男性中心に編成され、女性を排除するかたちで展開することになる。

キリスト教においてもそれは同様で、魔女狩りなどは女の行う民間信仰を殲滅するための政策だった。ところが、この男性中心に固められた宗教の秩序を一点突破する方法がある。それはこの世で神的なものの顕現を目撃することである。

キリスト教の例でいえば、例えばパリのお土産品として人気の奇跡のメダイユ教会のマリア像が象られたメダルは、カトリーヌ・ラブレ（一八〇六〜一八七六）という修道女が礼拝堂でみたマリアの姿を写したものである。カトリーヌは三度にわたるマリア出現に立ち会っている。メダルとして製作・販売されるのはカトリーヌの死後、一九三二年のことだが、カトリーヌは一九三三年に列福している。このとき、一八七六年に没してからすでに五七年がたっていたのに、彼女の遺体はまったく腐敗していなかったという。死体が腐らないというのは、日本の仏教にも共通する聖なる者のしるしである。その後、一九四七年には聖人として認められ、聖カトリーヌとなった。

あるいはキリスト教信者に名高い巡礼地となっているルルドの奇跡は、ベルナデッタ・スビルー（一八四四〜一八七九）という少女がマリア出現に遭遇したことにはじまる。一八五八年、ベルナデッタの前にマリアが出現する。いま病を治癒する力を持つとされる聖水、ルルドの泉は出現したマリアの指示にしたがってベルナデッタが掘った大地から湧いたのである。この奇跡はベルナデッタの生前から世に広く知られることとなり、彼女の写真が多く残された。ベルナデッタははじめて写真による肖像を残した聖人なのである。ベルナデッタが福者として認められたのが一九二五年、一九三三年には聖人に列せられる。そのたびにベルナデッタの遺体が調査されたが、少しも腐敗していなかったという。ベルナデッタの場合も、遺体が損傷していないことを以て聖性が確認されたのである。

こうして一介の女性が聖人となった例ではマリアの顕現の目撃があった。この世に顕れたマリアを見て、マリアのことばを授かること、これが女性にして聖人となる条件であった。

翻って、「当麻曼荼羅縁起絵巻」の物語をみると、主人公は、この世で阿弥陀如来に出会い、仏陀となる資格を得たのである。なんとキリスト教の女性の聖人の話に似ていることだろう。

しかし、「当麻曼荼羅縁起絵巻」にしこまれた物語は、ただ女人往生を描いたというにとどまらない。『法華経』が語る女人往生の根幹に横たわる女の難問を突破する物語を創出しているのである。すなわち、女が女のままに成仏するということを絵の上で語ってしまっているのである。

絵巻の語る物語では、ある日、化尼がやってきて、そして去り際に自分が阿弥陀如来なのだと告げて去って行くのであった。同じようにどこからともなくやってきた化女のほうは、やってきたときと同じ女房姿で五色の雲に乗って去っていった。けれども化尼のほうは、空高く飛び上がったかと思うと、中空で金色の阿弥陀如来に変じたことが描かれていた。

話の筋としては、阿弥陀如来が尼に化けてこの世に顕れたわけだが、絵の表現にはその過程は描かれない。代わりに、尼が阿弥陀如来に変じたことのみが描かれるわけだが、その展開そのものは、尼である女がそっくりそのままのかたちで阿弥陀如来になったものとして表現されている。つまりここでは仏陀になるのに、男子に変じるという変成男子の過程が描かれていないわけである。

それに続いて語られる主人公の往生は、同じく天界へと昇るものとして直前の絵とパラレルな構造をとるはずだ。すると主人公もまた、女として阿弥陀仏に迎え入れられて、女性のまま中空で仏陀となったのだろう。彼女は、生身の如来をこの世で目撃した聖人であって、その徳の高さが往生をもたらした。ならば、女であっても生身の仏を目撃することさえできれば、極楽往生も可能なのではないか。そんなふうに女たちの妄想をかきたてる。生身の仏に会いたいという、実に矛盾した表現には女たちの願望、希望、妄想が込められているのである。

臨死体験というのは一度死後の世界をみて現世に戻ってくることだが、どういうわけだか、古代中世人々にとって死後の世界を見るというのは、だいたい地獄見物をすることのようである。酷い光景をみて現世でますます修行に励むべしというのが説話の肝だとすれば、極楽に行ってみてもはじまらない。それに地獄を悲惨なところとして描くほうが、極楽をほんとうにすばらしい場所として描くよりうんと簡単だろう。『日本霊異記』上巻第三十「非理に他(ひと)の物を奪ひ、悪行を為し、報(むくい)を受けて奇(あや)しき事を示しし縁」（新編日本古典文学全集『日本霊異記』小学館、一九九五年）は、慶雲二（七〇五）年九月十五日に豊前国宮子郡の官僚、膳臣(かしはでのおみ)広国が突然死し、その三日後に生き返って語った話を載せている。

まず使いが二人やってきた。一人は成人男性のように髪を結っていて、もう一人は童だった。駅(うまや)を二つばかりすぎると道の真ん中に大河がある。そこには黄金に塗られた橋が渡してあった。その橋を渡ると非常に興味深い国があった。使いの者にここはどこの国かときくと「度南(となん)の国」だという。その国についたとたんに、武器を持った八人の役人に追い立てられたて黄金の宮に行き着いた。宮のなかには黄金の座に座る王がいて、「いまおまえをよんだのは、妻の訴えがあったからだ」という。広国の妻は先に亡くなっていたのだった。広国の前に連れ出された妻は、頭から尻までとおった鉄の釘と額からうなじにつきぬける釘が打たれている。さらに鉄の縄で両手両足を縛られて、八人にかかげられて運ばれてきた。王が、この女を知っているかというので、妻ですと答える。するとおまえは罪に問われているのを知っているかというので、知らないと答える。同じことを王が女に尋ねるとこう言った。「夫は私を家から追い出しました。だから恨めしく、悔しく、しゃくにさわっているのです」。

夫からしてみたら寝耳に水だ。妻はウソを言っているのである。地獄の王の判断は正しかった。「おまえに罪はない。家にかえってよし。ただし黄泉国のことをゆめゆめ語ることなかれ。そうそう亡くなった父親に会いたければ、南の方にいけ」と言った。

広国は父に会いにいく。父親もかなり無残な状態でいる。熱い銅の柱を抱かされて、鉄の釘三十七本をその身に穿たれ、朝に三百回、昼に三百回、夕べに三百回、合わせて九百回も鉄で打ちせめられていた。広国は、「ああなんとしたことだろう。このような責め苦を受けているとは」と驚く。父は生前の罪を語って聞かせるのだが、それは広国らを育て養うための罪だった。

「私は妻子を養うために生き物を殺した。あるいは八両の綿を十両で売った。軽い計りでとった稲を重さがあるようにして売った。あるいは人の物を盗んだ。あるいは人の妻を寝取った。父母を敬わず、目上の者を敬うこともなく、奴婢でもない人を罵倒した。こうした罪のせいで苦しい目にあっているのだ。いつの日か罪をのがれるだろうか。いつの日か安らかな身となれるだろうか。すぐに私のために仏を造り、経を写し、罪を贖ってほしい。ゆめゆめ忘れることなかれ。私が飢えて七月七日に大蛇と化しておまえの家に行ったときに、おまえは杖でうち捨てた。五月五日に赤い小犬になっておまえの家に行ったときに、成犬を呼んでけしかけて追い出した。正月一日にネコになっておまえの家にいったときに、供物としていた肉やらいろんなものを食べることができた。それで三年の飢えをしのいだのだ。私は兄弟上下の理に背いたから、犬となって白い汁をしたたらせるようになるのだろう。私はきっと赤い小犬になるにちがいない」。

広国は、やってきた大蛇や小犬やネコが自分の父親だとは全く思わなかったであろう。輪廻転生とはまた違うやり方で死者は現世にやってくる。息子の家に食べ物を求めてやってくる。そんなわけだから家に迷いこんだ犬猫にはエサをあげておくのがよい。しかし大蛇はどうだろう。それは追い出されるのを覚悟すべきではないのか。父親もそう思って小犬にそしてネコにと変じたのであろう。

親の死後に菩提を弔うのは地獄の苦しみから救う行為でもあった。地獄に堕ちないためには、生前功徳を積む必要があるのだが、だいたい次のような契約になっていることを広国は学ぶ。

現世で米一升を布施すれば、あの世で三十日の食量を得る。現世で衣服一具を布施すれば、あの世の一年分の衣服を得る。現世で経を読ませた者は、あの世で東方の金の宮に住み、後には願いどおりに天に生れる。現世で仏菩薩を造る者は、あの世で西方无量寿浄土に生まれる。現世で生きものを放つ放生をする者は、あの世で北方无量寿浄土に生まれる。現世で一日、斎食（断食）する者は、あの世で十年の食量を得る。

ここに列挙される功徳の積み方はかなり具体的で非常にわかりやすい。広国がもとの場所にたどりつくと、小さな子が門をあけて「早く行きなさい」といってくれる。誰かと問えば、広国が幼かったときに写経した『観世音経』だという答え。お経が小さな子に変じて助けてくれたのである。写経もこんなふうに具体的に役にたつことがわかるとやる気もでるというものである。

気づくと広国は現世に帰還していた。黄泉のことをみだりに人に話すなと言われたはずだが、広国はこの地獄めぐりの体験を書き記し、それは広く流布した。教訓としては「現在の甘露は未来の鉄丸なり」ということである。現世で甘い汁を吸ってばかりいるとあの世で鉄の玉を飲まされる目に遭う。広国は、父のために仏を造り、写経し、仏、法、僧の三宝を供養し、罪を贖った。地獄をみて後は、邪の道を避けて正しく生きた。

地獄に堕ちるのは一般庶民だけとは限らない。天皇であっても地獄に堕ちるのである。『十訓抄』五ノ十七、『沙石集』巻第八ノ五などに収められている醍醐天皇堕地獄譚がある。『十訓抄』五ノ十七（新編日本古典文学全集『十訓抄』小学館、一九九七年）によると、醍醐天皇が亡くなられてしばらく経った頃、吉野から大峯山あたりの御嶽（みたけ）の日蔵上人が、承平四（九三四）年四月十六日から大峯山文殊岳の裾にある笙の窟に籠って修行していたところ、八月一日、午の刻ぐらいに頓死して、同十三日に甦った。

そのあいだ、「夢にもあらず、現にもあらず」の状態で、「金剛蔵王の善巧方便」によって、三界、六道を余すところなく経巡っていると帝の御座所に行き着いた。ちなみに三界は欲界、色界、無色界。六道は地獄道、餓鬼道、畜生道、修羅道、人間道、天上道である。

帝がいるのは、四つの鉄の山がある山あいの茅葺きの小屋だ。帝は日蔵上人をみてたいそう喜んでこう告げた。「私は、日本国金剛覚大王すなわち宇多天皇の子である。それなのに在位の時、五つの重い罪を犯した。主には菅原大臣のことで、この鉄窟の苦所に堕ちて、このような苦報を受けて時久しい」。

宇多天皇は菅原道真を重用したが、醍醐天皇代になって藤原時平の讒言により、道真を太宰府左遷とした。道真は左遷を恨んで怨霊となって清涼殿に雷を落とし焼き払ったと『十訓抄』六ノ二十三には書いてある。時平はその翌年三十九歳で亡くなり、一族ことごとくが相次いで亡くなっている。

醍醐天皇は、日蔵上人にことづけて自らの救済のために、息子にあたる天皇や后であった国母穏子に善根をなすよう伝えた。醍醐天皇は、三人の臣下とともに赤い灰の上にうずくまっていた。天皇だけは衣をつけていたがあとの三人は裸だ。日蔵上人はかしこまっていたが、醍醐天皇は「冥途に貴賤を論ぜず、罪なきを主とす。敬ふべからず」（冥途では貴賤の区別はない。罪なき者が主なのである。だから私を敬うのではない）と言った。日蔵上人は涙ながらに小屋を出た。すると四つの山は一つになった。

生き返った日蔵上人が穏子皇太后にこの旨を報告すると、穏子は天皇の後世をねんごろに弔ったという後日談がつく。

菅原道真の太宰府左遷は宮廷人にとって集合的トラウマとなっていたようで、だれも否定できないほどの罪と認定されたようである。だからこそ菅原道真は天満大自在天神と号する神として祀られるようになるのだ。

地獄へ堕ちた天皇は醍醐天皇ばかりではない。『善光寺縁起』には、善光寺の名の由来となった本田善光の息子善佐が亡くなって地獄をめぐったあとで甦る話があるのだが、地獄で皇極天皇が責め苦にあっているのをみている。善光と妻が一光三尊仏に息子善佐の救済を祈ると、地獄にいる善佐の前に雲に載った一光三尊如来が顕現する。善佐は、この如来に皇極天皇の命と我が命を召し替えてくれるよう訴える。如来は観世音菩薩を使いにやって閻魔王に皇極天皇の救済を頼む。こうして皇極天皇は善佐とともに地獄から生還するのである。皇極天皇は地獄の苦しみから救ってくれた善佐に国王の位を与えるというのだが、善佐は一光三尊仏を安置するお堂を造りたいと答える。こうして建立されたのが善光寺である。善光寺の本尊となる一光三尊仏は、秘仏としていまもみることができないのだが、百済からもたらされた像である。蘇我氏が祀っていたものを対立する物部氏が難波の堀江に沈めてしまった。これをのちに本田善光が引き揚げて祀るようになる。それが立派な寺の建立にいたるのは、善光の息子に助けられた皇極天皇というわけである。ところで皇極天皇が地獄に堕ちた罪とは何だったのだろう。『続群書類従』(第二十八輯上　釈家部、平文社、一九二六年)に収められた「善光寺縁起」には、この女人は罪業が深いというのだが、ただ五障三従の賤しい身であるとしか説明されていない。五障三従というのは、女であることの罪を言い換えているだけだから、皇極天皇に特化した罪というわけではない。ただ女の身であるだけで罪だというのはあまりに理不尽である。だから皇極天皇を救った善光寺の一光三尊仏は、女の救済仏として、『とはずがたり』の二条をはじめ女たちの信仰を集めたのだろう。

第七回　死ぬのが怖い

地獄の恐怖とこの世の穢れ

平安時代の人々があれほどまで熱心に極楽往生を願ったのは、極楽世界に魅了されて、ぜひにもそこへ行きたいと思っていたというよりは、とにかく死ぬのが怖いという死の恐怖にとりつかれていたせいである。というのも宮廷社会に出入りし、藤原道長の信頼もあつかった恵心僧都こと源信（九四二～一〇一七）が書いた『往生要集』（岩波文庫、一九九二年）は、極楽がどんなにすばらしいところかを説くのではなくて、地獄がいかにおそろしいところかを延々と説明することからはじめているのである。さまざまな地獄が罪のタイプ別に用意されているのだが、貴族だから、殺生したり、盗みを働いたりということはなかったにしても、邪な淫欲、飲酒、嘘をつくこと、邪な考えを持つことなども地獄行きの罪だといわれるとはなはだ心もとなくなってくる。嘘をつくことまで入るなら誰だって地獄に落ちてしまうような気がしてくるわけである。

地獄では、灼熱の猛火に焼かれたり、体を切り裂かれたりするのだが、そのようにただ残忍なしかたで殺されるというのではすまない。死んだと思ったら生き返って、何度も惨殺されつづけるのである。死んだらそれでおしまいではなく、拷問のようないたぶりを終生、受け続けるわけだ。地獄の苦しみとはまさにこのことである。この地獄の説明が驚くほど詳細にくどくどと続く。『往生要集』は極楽世界の魅力を語ることをあらかじめ放棄し、とにかく死んで地獄に墜ちるのは怖いという恐怖心をまずは人々に植え付けた。極楽世界を描いた曼荼羅の、池のまえに阿弥陀仏がすわっていて、その前で唄い踊る者たちが描かれているだけの画では、ほんとうにそこがすてきな世界かどうかははっきりつかめない。代わりに、地獄を描いた地獄絵図はやけにリアルでおそろしく、強いインパクトを持って迫ってくる。

仏教の教義において、人間は極楽往生しないのならば六道を輪廻することになる。『往生要集』によれば六道とは、地獄道、餓鬼道、畜生道、阿修羅道、人道、天道である。

地獄道はともかく恐ろしい場所で、ケチだったり嫉妬深かったりする人が落ちるという餓鬼道も、お腹がすいても食べさせてもらえず、のどが渇いても水を飲ませてもらえず鬼にいじめられ続けるほとんど地獄のようなところだ。畜生道で牛馬に生まれ変わって、ムチ打たれながら労働するのもつらいだろうし、阿修羅道で年がら年中戦争しているというのも悪夢のようだ。

だとしたら、人道でふたたび人間に生まれ変わるのはそんなに悪いことなのだろうか。また人間やるのでもいいな、むしろ人間をまたやりたいなと現在のわたしたちなら思ってしまうかもしれない。けれども人道には不浄の相、苦の相、無常の相があるので、十全な安寧を手に入れることはできないと『往生要集』は語る。とくに不浄の相について熱を入れて説明し、なにしろ人間の身体というのは臭いし汚いから、とにかくこれはもうダメだというのである。内臓についても解剖学講義がごとくに微に入り細に入り説明した挙げ句、人体には「三升の糞」「一斗の尿」がつまっていると言い、大腸、小腸は毒蛇がとぐろを巻いているようだという。どんなにおいしいものを食べても糞便が臭いのだから人体は不浄なのである。どんなに美しい衣をつけてもその身体には臭くて汚い糞便がつまっているのである。とどのつまり、糞便を体内に持っている限り、人間というのは不浄以外のなにものでもないという。源信の異様なまでの糞便へのこだわりはフロイトなら肛門期固着と認定しそうなものだ。とにかく糞！　糞がつまっている限り幸せにはなれないのである！　便所のことを、ご不浄という感覚があれば『往生要集』的な不浄感は私たちにも共有されているといえるだろう。

人道には、不浄の相の他に、苦の相、無常の相があって、人生は苦しみでいっぱいだし、たとえつかのまの幸せがあっても必ず別れがおとずれ、人の世とはそのように無常なのだと説かれている。なるほど人道も理想的な世界とは言いがたい。

ならば天人の住まう天道に行けたらよいのではないかと思うが、極楽とちがってそこは死がある世界なのである。美しい天人も天人五衰といって悪臭を放って肉体を腐らせて死んでいくのである。

『往生要集』が説く六道の問題点を一言でまとめるなら、要は六道輪廻している限り、死の恐怖から逃れることができないということだ。そこで、死の恐怖から永遠に逃れるために極楽へ往生しましょうと話をもっていくのだが、極楽往生するためには死ななければならないのである！この矛盾！　この恐怖をいったいどうしたものだろう！

源信は、極楽を求める欣求浄土（ごんぐじょうど）の第一として聖衆来迎の楽を説き、死について次のように述べている。

悪業の人の命尽きるときは、熱があがって苦しみが多いが、善行の人は、苦しみがない。その上、念仏の功徳を積んでいれば臨終のときに大いなる喜びにつつまれるのだ。というのも、阿弥陀如来が、様々な菩薩、百千の比丘衆とともに光明を放って眼前に現れるからである。観音菩薩は蓮台をささげ、勢至菩薩は手をとってくれる。だから、うれしくなって安心して死ぬことができるのである。まさに知るべきは、死して目をつむった瞬間にもうあっという間に極楽に往生しているということである。

（『往生要集』(上)、岩波文庫、一九九二年に拠る。）

まず死に際に熱があがって苦しむ人は悪業の人だとされている。そうすると『平家物語』に七転八倒して「あっち死に」したと伝えられる平清盛は極楽往生できなかったということになるだろう。死に際に苦しんでいる様子は、地獄に半分足をつっこんで、すでに地獄の苦しみを味わっているかのように妄想された。反対に死に際が静かであれば、善行の人ということになって、極楽往生の確証も高まるわけだ。

平安貴族は、在家のままで念仏を唱えたりするのが一般的であったが、それというのも念仏をしっかり唱えていれば臨終のときに阿弥陀と菩薩たちが迎えてくれると『往生要集』に説かれているからなのである。阿弥陀と菩薩たちが光を放ちながらやってくるとき、死にゆく人は喜びに満たされる。臨終の瞬間に極楽に生まれ変われるのなら、地獄をみることもない。阿弥陀来迎さえあれば、死の恐怖から逃れられるのである。なんとすばらしいことだろう！というので、阿弥陀来迎の様子は繰り返し絵画化され、彫像にあらわされ、おまけに法会の一環として演劇化までされたのである。

源信は『往生要集』において、極楽往生のための心の準備として「観想」という方法を示しているのだが、それはつまり、妄想力を働かせて極楽世界を思い描くための訓練なのである。たとえば「美しく飾られた蓮華を妄想して、次に阿弥陀仏がその蓮華台の上に坐していらっしゃるところを妄想せよ、それからその仏の身体が百千万億の金のようであるところを妄想せよ」などというレッスンがある。要するに阿弥陀仏の彫像を前にして、その仏像が表現しているはずの壮大な世界を自在に思い浮かべられるようにならねばならないのである。これは簡単なようでいてなかなかに難しそうだ。それで手っ取り早く、こうすれば極楽往生まちがいなしといわれる臨終の作法に従っておくことにするのだが、これもまたただ西方に顔を向けた状態で床をのべ、念仏を唱えていればよいわけではなく、やはり聖衆が迎えにくるところを妄想する必要がある。したがってふだんからくり返し阿弥陀来迎のさまをイメージトレーニングしておき、死に際の朦朧とした意識のなかでもはっきりと阿弥陀来迎を思い描けるようにしておく必要があったのである。

阿弥陀来迎をかたどった美術はいわばイメージトレーニングの成果でもあり、かつまたイメージトレーニングを手助けする道具でもあった。同時にトレーニングの成果あって夢に阿弥陀来迎をみたという人の記録がこの時代に続出するようになる。夢は未来を予言するお告げだから、極楽往生まちがいなしとされるのである。死にゆくときにその人がいったい何を感じ、何を見ているのかは本当のところ誰にもわからない。あらかじめこの世に存在するイメージを寄せ集めるかたちで妄想するほかない。だから死にゆく者の見ているヴィジョンもまた美術作品によるイメージによってかたちづくられることになる。

実際に、源信の死は、源信在世のうちに行われていた阿弥陀来迎を演劇化した迎講（むかえこう）の様子に重ね合わされて理解されている。小原仁『源信』（ミネルヴァ書房、二〇〇六年）によると、源信の死に際して、弟子、能救（のうぐ）は次のような夢をみた。

> 源信の左右にはいく人かの僧が並び、姿形も衣装も美麗な四人の童子が僧と並び立っている。それはあたかも横川の迎講を眼前に見ているようだった。（中略）
> 源信は「小さな童子は前に、大きな童子は後ろに」などと指示していて、やがて整列し終わると西に向かって歩き出す。能救は夢の中で、西に行くのは極楽浄土を目指しているのであろうから、地上を歩いていくのは解せないなア、と訝っていたが、一行はすぐに地面を離れ空を踏み、口に「超度三界（ちょうどさんがい）、超度三界」と唱えつつ西に向かい去っていった。

源信の死してゆくさまは、極楽往生のさまを演劇化したはずの迎講という儀式をとりしきっている様子としてイメージされているわけである。迎講は阿弥陀に迎えられる死を妄想的に再現したものだが、それがそっくりそのまま死出の道のイメージに置換されている。誰にもおとずれるのに、死には生き証人がいない。だから恐い。人々の死にゆくさまを記録した往生伝が書かれなければならなかったのもそのためである。しかしそこにある死も死を看取った生者が記したものなのだから、どうしたって妄想的になる。阿弥陀来迎をイメージ化した世界が、妄想的な死そのものなのだから、それを描いた美術がいくつもつくられるのはごく自然のなりゆきであった。

阿弥陀二十五菩薩来迎図のイメージ化

現在、阿弥陀来迎図としてよく知られるものとして、京都、知恩院の「阿弥陀二十五菩薩来迎図」（一三〜一四世紀）がある。山筋を雲にのって急降下してくる阿弥陀と二十五菩薩が描かれている。別に「早来迎」とも呼ばれているのだが、死の直後になるべく早くやってきてほしいという切迫した思いから、こうした形式がでてくることになる。現在この図は京都国立博物館に寄託されているので、サイト内の「館蔵品データベース」で鑑賞することができる。

二十五菩薩の先頭で蓮台を捧げて跪くのが観音菩薩、手前で合掌しているのが勢至菩薩、その奥で天蓋を捧げているのが普賢菩薩である。この迎えとってもらうというところを最大限強調すると、先頭をやってくる観音菩薩のしぐさが重要になってくる。そういうわけで京都、大原三千院の往生極楽院の阿弥陀三尊坐像では、観音、勢至の両菩薩が、下のほうにいる観者のほうへと前傾する姿で象られている。

あるいは阿弥陀来迎を演劇化した迎講として現在も當麻寺で毎年五月十四日に行われている聖衆来迎練供養会式では、蓮台を捧げる観音菩薩が何かを掬い取るようなかっこうで歩いてくることで、下界の衆生を救うしぐさをあらわしているといわれている。聖衆来迎練供養会式は、俗に「お練り」と呼ばれていて、極楽にみたてた本堂と娑婆に見立てた堂との間に橋をかけ、いま死した中将姫を阿弥陀如来と菩薩、天人が迎えにくるところを演劇的に再現したものである。迎えとった帰りには観音菩薩の蓮台の上に仏陀となった姫の像が乗る。同じような演劇的再現は、東京でなら九品仏浄真寺でみることができる。「二十五菩薩来迎会」、通称「お面かぶり」である。

ところで、當麻寺の練供養で往生する役回りの中将姫だが、これが第六回「生きている仏さんにあうということ」で扱った「当麻曼荼羅縁起絵巻」の横佩大臣の娘である。中世のいつからか、横佩大臣の娘は、中将姫ということになって、ただの往生譚に継子いじめなどの物語が付加され、さらに人口に膾炙するようになる。のちに中将姫は薬湯のイメージを担うようになり、バスクリンで有名なツムラのマークは中将姫を象ったものとして知られている。といった具合に、物語的に大展開を遂げていくわけだが、あらためて、鎌倉、光明寺蔵「当麻曼荼羅縁起絵巻」の来迎場面をみてみると、この絵巻は実は通常の来迎図とは決定的に異なる部分があることに気づかされる。

知恩院蔵「阿弥陀二十五菩薩来迎図」に類する絵画は数あれど、来迎メンバーの構成は似たりよったりである。楽器を鳴らす菩薩たち、舞を舞う菩薩たち、そこに地蔵菩薩があらわされていることもある。ところが「当麻曼荼羅縁起絵巻」の来迎場面には、他の来迎図には出てこないものが描かれているのである。文殊菩薩の姿である。

五髻文殊はなにを示しているか

「当麻曼荼羅縁起絵巻」来迎場面の阿弥陀如来の後方、太鼓の前に、右手に剣を持ち、左手に経巻を持つ姿で、頭髪を五つのおだんご状に結んだ童子のようにかわいらしい五髻文殊の姿が描かれている。あの「当麻曼荼羅縁起絵巻」は女による女のための極楽往生物語だったのだから、この絵巻の来迎場面にだけ五髻文殊が描かれているということは、それはやはり女の信仰を指し示すための合図なのではないだろうか。

実はこの五髻文殊にそっくりの像が中宮寺にあるのである。中宮寺は法隆寺の裏手に隣接するように建っており、聖徳太子が母穴穂部間人皇后のために建立したと伝えられる尼寺である。木製のように見えるこの像は、像高五二・二センチの小さな像で、経巻を芯として、全体も紙でできているという。とても紙製には見えない出来ばえだけれども、ならばこの寺の尼たちが手ずから作り上げたのかもしれないと思えてくる。胎内に納められていた舎利を包んであった紙に願文が書かれているのがみつかっており、文永六（一二六九）年に尼僧信如が願主となって作ったものとみられている。信如尼は弘長二（一二六二）年に中宮寺に入り、中世にすっかり廃れていた中宮寺を再興した尼として知られている。

再興に際しては、資金援助を京の都の貴族たちに頼んだものと思われ、宮中に出入りしていたことが、後深草院に仕えた二条の書いた『とはずがたり』にもみえる。二条は、宮中の女房勤めをやめた後半生に各地を旅してまわるのだが、奈良を春日大社、法華寺とまわったおりに中宮寺を訪ね、しばし滞在している。そこを訪ねた理由としては、「聖徳太子の御旧跡、その后の御願」で建立されたと聞くにつけても拝観したく思ったからだと語られている。

図13 「当麻曼荼羅縁起絵巻」（小松茂美編『続日本の絵巻20　当麻曼荼羅縁起　稚児観音縁起』中央公論社、1992年）

聖徳太子は、古来ずっと信仰されてきたわけではなくて、中世になって隆盛を極め、本当のゆかりの地はいざ知らず、それまで縁もゆかりもなかった寺社までもが競って聖徳太子との縁をでっちあげはじめるほどの人気となっていく。西口順子「磯長太子廟とその周辺」（『民衆宗教史叢書 第三二巻 太子信仰』雄山閣、一九九九年）によれば、寛弘四（一〇〇七）年に「四天王寺御手印縁起」が発見されて以降、聖徳太子の建立した大阪、四天王寺の西門が極楽世界の東門にあたるという思想が流布し、四天王寺が極楽世界の入り口として信仰されるようになったという。つまり太子信仰は、極楽往生思想の隆盛とシンクロしつつ醸成されたのである。二条も後深草院の死後に四天王寺を訪れている。

となれば、奈良を訪ねた二条が法隆寺、中宮寺を訪ねたいと思うのも不思議はない。しかし二条は、法隆寺のほうではなくて、中宮寺を訪ねるのである。なぜなら、そこはかつて宮中で会っている尼僧、信如が長老をつとめている寺だからだ。しかし、残念なことに、信如は二条のことをはっきりと覚えているわけではなかった。

長老は信如房とて、昔御所ざまにては見し人なれども、年の積もるにや、いたく見知りたるともなければ、名乗るにも及ばで、ただかりそめなるやうにて申ししかども、いかに思ひてやらむ、いとほしく当られしかば、またしばし籠りぬ。

（長老は信如房といって、昔、御所あたりで見た人であるけれども、年をとったせいか、よく見知っているというふうでもなかったので、わざわざ名乗ることをせずにただちょっと立ち寄ったかのように申し上げたのだけれども、どのように思ってか、やさしく迎えてくださったので、またしばらく籠った。）

（新編日本古典文学全集『とはずがたり』小学館、一九九九年）

二条は、ここに信如がいることを知っていて中宮寺を訪ねている。信如は覚えていないようだけれど、二条のほうがはっきりと覚えているほどによく知られた尼で、御所への出入りも一度ではなかったものと思われる。この信如が作ったのが、かわいらしい紙製の五髻文殊像だった。持物は失われているけれども、その姿から、右手に剣、左手に経巻をもっていただろうことがわかる。そしてその姿は「当麻曼荼羅縁起絵巻」に描かれた五髻文殊像にぴったりと一致するのである。

さらに二条は中宮寺滞在直後に當麻寺を訪ねている。當麻寺と中宮寺との縁を二条の旅の軌跡が結ぶ。當麻寺で二条は、おそらく絵巻をみせてもらったのであろう。「当麻曼荼羅縁起絵巻」と同様の物語をこまかに記している。

図14 「当麻曼荼羅縁起絵巻」(部分)(小松茂美編『続日本の絵巻20 当麻曼荼羅縁起 稚児観音縁起』中央公論社、1992年)

法隆寺より当麻へ参りたれば、「横佩の大臣の女、『生身の如来を拝みまゐらせむ』と誓ひてけるに、尼一人来たりて、『十駄の蓮の茎を賜はりて、極楽の荘厳織りて見せまゐらせむ』とて請ひて、糸を引きて染殿の井の水にすすげば、この糸五色に染まりけるをぞ、したためたるところへ、女房一人来たりて、油を乞ひつつ、亥の刻より寅の刻に織り出だして帰りたまふを、房主、『さても、いかにしてか、また会ひたてまつるべき』と言ふに、

往昔迦葉説法所　今来法基作仏事
卿懇西方故我来　一入是場永離苦

（この地は昔、仏弟子の迦葉が説法したところであり、今、法基菩薩が来て仏事を行っている。あなたが西方浄土を懇ろに願ったので我は来たのだ。一度ここへ入れば永遠に苦しみから離れるだろう）

とて、西方を指して飛び去りたまひぬ」と書き伝へたるも、ありがたく尊し。

二条のまとめをみると、横佩大臣の娘の往生のクライマックスよりも、極楽の荘厳を織って見せてあげましょうと言った尼が西方を指して飛び去ったということ、つまり生身の如来がやってきて極楽往生を約束してくれたことが重視されていることがわかる。

第六回でみたように、二条は「生身の如来」だといわれているからといって、わざわざ善光寺

へ参った人である。生身信仰ブームのさなかにいた人だといってよい。そんな二条の書いた『とはずがたり』を介して、生身如来に出会う話である「当麻曼荼羅縁起絵巻」と中宮寺の信如が奇妙にも交差しているのである。「当麻曼荼羅縁起絵巻」の往生場面には、信如の作った五髻文殊の姿が描きこまれていたわけだが、文殊像というのは、かの清凉寺の生身の釈迦像を持ち帰った奝然が日本にもたらしたことになっているのである。奝然をとおして、生身信仰と文殊信仰がさらに交差する。後白河法皇が今様と呼ばれる当時の流行歌謡を集めた『梁塵秘抄』には、次の歌がある。

文殊は誰か迎へ来し　奝然聖こそは迎へしか　迎へしかや　伴には優塡国（うてんこく）の王や大聖老人（だいしやうろうにん）
善財童子の仏陀波利（ぶつだはり）　さて十六羅漢諸天衆

（新編日本古典文学全集『神楽歌／催馬楽／梁塵秘抄／閑吟集』小学館、二〇〇一年）

奝然のもたらした文殊像がどのようなものかはわからないが、ここに唄われている文殊像は、釈迦の生身像をつくらせた優塡王と、大聖老人、善財童子、仏陀波利を伴った形式であったようだから、おそらくは奈良、西大寺にある文殊五尊像のように、文殊像は獅子に乗った坐像であったと思われる。このような四人の侍者を伴った像は、他に安倍文殊院、東京国立博物館蔵の作などにみられる。これらの文殊五尊像はいずれも鎌倉時代の作品で、南都たる奈良の寺院の復興に尽力した叡尊（一二〇一～一二九〇）、忍性（一二一七～一三〇三）が関わったものとされている。金子啓明「文殊菩薩像」（『日本の美術』No.314、至文堂、一九九二年）によれば、叡尊、忍性は『文殊涅槃経』という経典に「文殊は身を貧窮孤独の衆生に変えて、行者の前にあらわれるであろう」とあることを受けて、民衆救済に尽力したという。貧者は文殊がこの世に現れ出た姿かもしれないのだから、貧者に施しをしてこれを敬うのである。

では中宮寺の信如が叡尊とどのようにかかわっていたかというと、同じように南都復興に尽力したということ以外によくわからない。文殊信仰と一口に言っても、信如がつくった五髻文殊と文殊五尊像とではあまりにも姿かたちがかけ離れていて、少しも似ていない。第一、文殊菩薩像は、獅子の上に坐す、坐像としての作例が一般的で、中宮寺のような立ち姿の立像は極めて珍しい。

女の守護としての文殊菩薩

ところが、西大寺像の文殊像は胎内に信如作と同様の形式の、ただし左右の手が逆で、少しばかりかわいげのない顔つきの五髻文殊像を持っていたのである。

では、叡尊たちと女の信仰とはどのように関わるのだろうか。五髻文殊をとおして、なにが通じ合っているのだろうか。藤澤隆子「文殊菩薩像造立の一系譜」（上、下『東海女子大学紀要』

一九九九、二〇〇〇年）によれば、叡尊、忍性ともに文殊菩薩像をつくった理由には亡き母のための追慕、供養の意味があったのではないかという。母親の供養のために文殊菩薩が必要とされるのはなぜか。

そもそも、女人往生をかたる仏典『法華経』において、八歳の龍女が成仏するよう、海中で『法華経』を説いたのは文殊であった。女性の成仏を信じ、それを促したのは文殊だったのである。その文殊に対する信心を信如はあの五髻文殊に託したのではないか。女の成仏を守護するものとして、女のための特別な文殊立像はつくられた。女たちはこの五髻文殊こそが我らの信ずべき文殊像だと頼りにしていたのであろう。だから女が往生するとき、あの中宮寺の五髻文殊が迎えにくることを「当麻曼荼羅縁起絵巻」に描き込んだのだ。中宮寺の五髻文殊像は女が女のためにつくったものなのだから、きっと女を迎えにきてくれる。そんなふうに女たちは女人往生を思い描いたにちがいないと妄想されるのである。

第八回　女たちは石山寺をめざす——なぜ如意輪観音が本尊となったのか

弥勒菩薩が如意輪観音に

奈良、法隆寺に隣接する尼寺の中宮寺は弥勒菩薩半跏像を本尊とする。第二回「そのエロはだれのものか」にみたように、広隆寺の弥勒菩薩半跏像にそっくりのポーズで片足を膝上に組んで、右手を軽く頬にあてて思惟する姿はどうみても弥勒半跏思惟像である。ところが、中宮寺のこの像は、地元では「如意輪さん」と呼ばれており、如意輪観音像として信仰されているというのである。

如意輪観音といえば、大阪、観心寺の本尊のように、一つの頭に腕が六本ある、一面六臂(いちめんろっぴ)像が思い浮かぶ。第一、如意輪と言っているのだから、如意宝珠と法輪を持っている姿であってほしい。観心寺像は、右手第二手が胸元で如意宝珠を捧げ、左手第三手が上向きに立てた人差し指の上に法輪をのせている。右手第一手が右頬に軽くさしあてられて思惟のポーズをとり、その他の持物は右手に念珠、左手に蓮華で、これらは多くの一面六臂像に共通する。

観心寺像は、嵯峨天皇皇后橘嘉智子(七八六～八五〇)の発願で、承和九(八四二)年の嵯峨天皇崩御の頃に造立されたものという。木造にほどこされた彩色が今も鮮やかなのは、秘仏として厨子に入れられたまま祀られてきたせいであろう。ふっくらとした顔つきに、赤く彩られた形のよい唇。美女を表現するときにいう柳眉そのもののような長く曲線を描く繊細な眉。そっと頬にそえられた右手第一手の自然なしなやかさ、立て膝の右足にもたれるように伸びる右手第三手の虚脱したようなアンニュイな様子。定型的な如意輪観音像を超えた美しさを持つ独特の像である。

井上一稔「如意輪観音像　馬頭観音像」(『日本の美術』No.312、至文堂、一九九二年)は、この像に「官能性や豊満さ」といった「女性性」が表現されていると指摘する。如意輪にしろ何にしろ観音菩薩は男性なのだが、しばしば女性的な表現をとることがある。本像の場合は、橘嘉智子という女性が造らせたものだということで、同じく宝珠を持つ吉祥天女像に倣って理想の女性像を表そうとしたのではないかという。さらに「片膝を立てるポーズが、薬師寺八幡神像の内の、仲津姫・神功皇后と共通し、このすわり方を女性特有のものとする考え」があることから、「如意輪観音に女性をイメージしたことは自然なことだと考えられよう」と述べられている。

ただし宝珠を持つ手が吉祥天を連想させ、足裏を合わせて片足を立て膝にする仏像の一形式が八幡女神像の立て膝を連想させるとしても、それは作り手の意図というよりは、観者の見立てにすぎないともいえ、女性性を表現した根拠にはなっていない気もする。如意輪観音がなんらかの形で女性の信仰と関わりを持つらしいことは、尼寺である中宮寺の弥勒像が、如意輪観音と呼び変えられた例からみても妥当だといえるにしろ、中宮寺の像が、橘嘉智子発願の観心寺像とは似ても似つかぬ姿である問題はどのように考えたらよいのだろう。

たとえば観心寺像の如意輪観音の六臂のなかに、思惟する右手が含まれているのだから、その部分を以て、中宮寺本尊を如意輪観音にあてこむことができなくもない。とはいえ実際のところは、もともと如意輪観音として造られた像ではないのにもかかわらず、どうしても如意輪観音ということにしたくなったということだと思う他ない。つまりある時点で如意輪観音信仰のブームがやってきて、それにあやかって、もともとあった中宮寺の本尊を如意輪観音であると喧伝するようになったのではないか。そしてそのブームには女性の信仰がからんでいるのではないかと妄想されるのである。

清水紀枝『院政期真言密教をめぐる如意輪観音の造像と信仰』（早稲田大学提出博士論文、二〇一二年）によると、中宮寺の本尊を如意輪観音としたのは信如であったという。弘安四（一二八一）年の『尼信如願文』のなかに「三間二階之金堂。安置等身二臂之如意輪」とあって、金堂に二臂の如意輪観音を安置したといっているのを本尊を如意輪観音と称した最初の例としている。清水紀枝によると、中宮寺復興は、もともと叡尊の甥、惣持の夢に聖徳太子が現れて「尼衆を以て再興せよ」と告げたことにはじまるという。この話をきいた叡尊が信如を抜擢したというのだ。比叡山僧の承澄（一二〇五〜一二八二）が著わした『阿娑縛抄』と呼ばれる図像集の如意輪の項には次のようにある。

> 聖徳太子は仏法最初の主なり。王法また十七条憲法を以てこれを行う。而して太子すなわち観音の後身なり。如意輪尊を以て七生の本尊となす。
>
> （『大正新脩大蔵経』（図像部）第九巻、大蔵出版、一九三四年。適宜表記は改めた。）

これによれば、聖徳太子は観音の生まれ変わりであり、太子は七回生まれ変わっているのだが、その転生の本尊として如意輪観音があるのだという。聖徳太子が、中宮寺の再興を夢で促し、その役目を負った信如が中宮寺本尊像を、太子の転生の守護である如意輪観音としたというのは、いかにもありそうなことである。

しかし、いかに中宮寺が聖徳太子ゆかりの尼寺だからといって、如意宝珠も持たず、法輪も持っていない本尊をいきなり「二臂の如意輪」といいだすのはあまりにも唐突だ。もともと如意輪観音ではなかった像を「二臂の如意輪」として認めていくはじまりには、石山寺本尊があったという。つまり如意輪ブームの火付け役となったのはどうやら石山寺らしいのである。

石山寺の如意輪観音

滋賀県、琵琶湖の南に位置する石山寺は、京都からそんなに遠くもないとはいえ、徒歩でいくにはちょっとした旅だ。それなのに平安時代の宮廷女性たちは、いそいそと石山寺に足を運んだ。奈良の長谷寺とならんで、石山寺は女性が物詣(ものもう)でする寺として確固たる地位を築いていた。

平安時代の貴族たちは、阿弥陀信仰一辺倒で死後の極楽往生ばかりを願っていたわけではなかった。現世で生きているあいだの、たった今の悩みを解決してくれる御利益を求める観音信仰もまた盛んであった。

清少納言『枕草子』（新編日本古典文学全集『枕草子』小学館、一九九七年）には、「仏は、如意輪。千手、すべて六観音。薬師仏。釈迦仏。弥勒。地蔵。文殊。不動尊。普賢」とあって、如意輪観音、千手観音、聖観音、馬頭観音、十一面観音、准胝観音をまとめて「六観音」と呼ぶ信仰があった。『枕草子』が筆頭にあげている如意輪観音は石山寺の本尊である。

『枕草子』は、「寺は、壺坂。笠置。法輪。霊山は、釈迦仏のすみかなるがあはれなるなり。石山。粉河。志賀」と列挙して、石山寺を数え上げている。『枕草子』のこの二つの章段を総合すると石山寺の如意輪観音が浮かび上がってくる。

石山寺の本尊は秘仏であり、現在も三三年に一度の御開扉のときにしか拝観できない。如意輪観音らしい六臂像ではなく、二臂の像で、右手に宝珠をのせた蓮華を持ち、下へと垂らした左足の膝上に掌を上向きにした左手をのせている。右足を組んで台座にのせ、左足を下に降ろしたかたちは、半跏思惟像の足に似ていなくもない。本尊は、一度火災で焼けていて現在の像は草創時のものではない。清水紀枝によれば、もともとの像は右手を掌をこちらに向けて胸元でかざす施無畏印、左手を掌を上にして膝上にのせる与願印に結んだ姿であったという。新しく造られた現存像は、右手に持つ蓮華に如意宝珠をのせており、もとあった像よりは如意輪観音らしい表現をとっていることがわかる。したがって、現存像が造られたときには、すでに石山寺の観音は如意輪観音なのだということが定着した後だったことは明らかである。ただし観心寺像も石山寺像も秘仏なのだから、おいそれと見られたわけでもなく、それがいかにも如意輪観音らしい姿をしているかどうかはそれほど問題ではなかったのかもしれない。

石山寺の施無畏、与願の二臂像が如意輪観音であると言われるようになると、芋づる式に、似たような姿の奈良、東大寺の大仏左手側に置かれた像や、龍蓋寺（岡寺）の本尊も如意輪観音だということになっていったのだという。

もともとあった施無畏、与願の印相をもつ二臂像が如意輪観音と呼ばれるようになった経緯ははっきりわからないが、如意輪観音であるとぜひともいいたかったというある種の強引さがあるのは中宮寺像に同様である。中宮寺の再興のために、信如が貴族女性に資金援助を求めたことを考えると、宮廷の女たちに強い如意輪観音信仰があったか、あるいは如意輪観音こそが女を救う女のための観音だというプロモーションをかけたか、いずれにしろ如意輪観音が本尊であるというのは女性におおいにアピールする要素であった可能性がある。『枕草子』が如意輪観音、石山寺を列挙しただけでなく、『蜻蛉日記』『更級日記』にも作者が石山寺参詣したことを記しているし、歴史物語の『栄花物語』に女院藤原詮子の石山詣でが書かれている。平安宮廷の女たちは続々と石山に詣でたことが文学作品に記されているのである。ただしこれらの女たちの書き物には、石山寺の本尊が如意輪観音だとは書いていない。本尊が何であるかなどはおかまいなしだったのか、石山寺といったら如意輪に決まっているからわざわざ書かなかったのかはわからない。

石山寺の本尊が如意輪観音だということは、源為憲が著わした『三宝絵』（新日本古典文学大系

『三宝絵／注好選』岩波書店、一九九七年）にあるのが最も古い記録とされる。東大寺の千花会について説く項に次のようにある。

東大寺の大仏建立の折、あの巨大な像を塗り飾るための金がなく、「カネノミタケ」として知られる金峯山の蔵王権現に祈ったところ、この山の金は弥勒の世に用いるためにあるので、分けるわけにはいかないと告げられる。弥勒の世とは、釈迦入滅後、五十六億七千万年後に、弥勒がこの世に顕れ衆生を救うときのことをさす。それで代替案として蔵王権現が提示するのは、近江国志賀郡の河のほとりに、昔翁が釣りをするのに座っていた石があるから、その上に如意輪観音をつくりすえて祈れというものだった。行ってみるとそこは今の石山寺のところであった。そこへ観音をつくって安置して祈ると陸奥国から金が出た。そこで天平勝宝と年号を改めたのだ。

この話は、少し曖昧で、今の石山寺のあるところに、観音をつくって祈ったというのだけれども、そのときにはそこには石山寺があったわけではないようだし、そのときつくった如意輪観音が石山寺本尊かどうかもはっきりしない。

ところが鎌倉時代一四世紀前半の「石山寺縁起絵巻」の詞書には、二臂の如意輪観音が本尊であることが明確に示されている。巻一の冒頭は次のようにある。

それ石山寺は、聖武皇帝の勅願、良弁僧正の草創なり。本尊は二臂の如意輪、六寸の金剛の像、聖徳太子二生のご本尊なりと云々。丈六の尊像を造りて、その御身にかの小像を籠め奉る。

（日本の絵巻16『石山寺縁起』中央公論社、一九八八年。適宜表記は改めた。）

石山寺は、東大寺大仏殿を建立した聖武天皇の願によって、良弁僧正が創建したものである。本尊は、二臂の如意輪観音で、六寸（一八・一八センチ）の金剛像は、聖徳太子二生の本尊とされる。丈六（四・八五メートル）の尊像を造って、その胎内にその金剛像をおさめたとある。素直に読むと、本尊の如意輪観音は胎内仏のほうで、それを籠めるために丈六の尊像をつくったということになる。ただし巻六第三段には、寛喜二（一二三〇）年に関白九条道家の奉った願書に「そもそも本尊如意輪観音は、御身の中に太子像を籠め奉れり」と記したことが述べられている。ここでは丈六の像のほうが如意輪観音で、胎内仏として聖徳太子像が籠められていると考えられていることがわかる。ところが巻四第五段の本堂が火災で焼けたことを記す逸話では、本尊はやはり胎内仏のほうではないかと思える書きぶりなのである。

承暦二年二月二日、当時回禄の事有りて、本堂焼けけるに、本尊煙の内を飛び出でさせ給ひて、池の中嶋の柳の上に、光明赫奕（かくえき）として懸からせ給ひたりけるを、寺僧袖に受けて、返し入れ奉りけると、申し伝へたり。

（『石山寺縁起』）

火事のとき、煙に巻かれた本堂から、本尊がポン！と飛び出して、池の中嶋の柳の上にのっかったというのである。それを寺僧が袖に受けて、元の通り納めたというのだから、飛び出したのは胎内仏であろう。第一、丈六の尊像は柳の上にものっかりそうにないし、寺僧の袖でひょいと抱えられるようにも思えない。絵巻に描かれた観音像をみても、とても丈六の観音像には見えない。

岩田茂樹「新発見の銅造仏像（四躯）と納入厨子銘文」（付録「石山寺本尊如意輪観音像内納入品『観音のみてら石山寺』奈良国立博物館、二〇〇二年）によると、現存の石山寺本尊に納められた胎内仏四躯はいずれも二〇センチから三〇センチ程度の立像で、火災にあった跡がみられるもっとも古い飛鳥時代の作は施無畏、与願の印を結んだ像である。四躰の小像が納められた厨子に書かれた銘文によると、火災があったのは承暦二（一〇七八）年正月二日のことで、その後も、元々あった本尊は残ったのだけれども、建暦元（一二一一）年五月四日についに崩れ落ちたとある。この銘文にある日付は寛元三（一二四五）年五月二一日となっている。岩田茂樹によると、現存像は火災の直後に造られ、ある時期までは、火災にあった像と現存の像とが二躰あった可能性を指摘している。崩壊した古像のほうは、現存のような木造ではなく塑像であったとされ、龍蓋寺（岡寺）のような施無畏、与願印の像であったとされる。

現存の胎内仏はいずれも六寸程度の大きさの二臂像である。「石山寺縁起絵巻」の記述を見る限り、この胎内仏とそれを籠めた丈六の像とがどこか混同されているようでもある。「石山寺縁起絵巻」の詞書が書かれた正中年間（一三二四〜二六）頃には、二臂像が如意輪観音と呼ばれるようになっていて、そのせいで、どちらが如意輪観音であり、本尊であるのかも揺れていたのかもしれない。

さて、石山寺建立のきっかけとなった聖武天皇と良弁僧正との関係は前世にすでに結ばれていたものとして、「石山寺縁起絵巻」巻一第一段は次のように語っている。

図15 「石山寺縁起絵巻」(小松茂美編『日本の絵巻16 石山寺縁起』中央公論社、1988年)

> 本願良弁僧正は、前世に行人として、舎衛国に到らむと思ふこころざし深かりけれど、功銭なきによりて、流沙を渡らず、悲歎して日月を送るに、渡守、彼のこころざしを哀れみて、行人を渡す。時に芳契をなして曰く、「功銭なしといえども、すでに汝を渡しぬ。我が後世を祈るべし」と云々。「かの恩を報ぜむがために、君臣となるべし」といふ誓ひ深きによりて、行人は僧正と生まれ、渡守は天皇と生まれ給ふ。
>
> (『石山寺縁起』)

前世でも良弁僧正はやっぱり修行者であった。釈迦のいる舎衛国に行こうとしているのだが渡し舟の舟賃がない。悲歎にくれて日々を送っていると、見かねた渡守が無料で渡してくれる。

そして「ただで渡してやったのだから私の後世のために祈ってほしい」という。そこで修行者は「この恩に報いるために、来世では君臣となる」という誓いをたてた。それで修行者が良弁僧正として、渡守は聖武天皇として転生したのだというのである。

聖武天皇は東大寺を建立し、十六丈の金銅の盧舎那仏の像を鋳ろうとしていたが、黄金がない。そこで良弁を金峯山にやって祈祷をさせる。すると夢のお告げがあって、「我が山の金は、慈尊出世の時、大地に敷かむがためなり。近江国志賀の郡、湖の岸の南に一の山あり。大聖垂迹の地なり。かの所にして祈り申すべし」とのことであった。慈尊は、弥勒菩薩をさすから、先にみた『三宝絵』に書かれていたことにだいたい同じだが、ここでは弥勒が顕れたときに大地に敷くために使うのだと説明されている。なんとも豪勢なことである。それで滋賀の琵琶湖の南に山があるから、そこで祈れと言われるのである。そのお告げにしたがって、良弁が山に入っていくと、巌の上に座って、糸を垂れ釣りをしている老翁に出会う。老翁はこの山の上の巌が霊地であることを教え、自分はこの山の地主の比良明神だと名乗ると、「かき消つ様に失せにけり」とあって、魔法のようにすーっと姿を消して去ったという。比良明神は異国風の衣を着て赤い頭巾をかぶった異形の姿で描かれている。

第二段で良弁が、天皇にこのことを告げると、「天皇のご本尊」を受け渡され、それをかの巌の上に安置し秘法を修する。すると陸奥国から砂金が掘り出され、よって年号を改めて天平勝宝となづけた、というのは先の『三宝絵』に同じである。

第三段で、すでに目的を達したので本尊を天皇に返そうとするのだが、この像が巌の上にくっついて離れない。天皇にその旨を告げ、地主であるところの比良明神にこの地を請い受けて、東大寺に先立って天皇の命による勅願寺として石山寺を建立したとある。草創縁起には異形の神が守る土地を譲り受けて寺を建立するという話を持つものがいくつかある。だから寺の境内に明神を祀る祠を持つことも少なくない。ともあれ比良明神に譲り受けた土地に最初に安置された像は、元は聖武天皇のご本尊であったということであり、それはやはりどちらかといえば胎内仏のほうがイメージしやすいように思われる。

このあたりの本尊はいったい何なのかといった問題に「石山寺縁起絵巻」はわりと無頓着である。結局のところ、そこはたいして重要ではないようなのである。「石山寺縁起絵巻」が強調するのは、如意輪観音の功徳というよりは、巻一の最後、第五段に「亭子の帝、常に当寺に臨幸あり」とあるように、宇多天皇（八六七〜九三一）をはじめとして、続々と有名人が参詣したことのほうなのである。

巻二では『蜻蛉日記』の作者の藤原道綱の母、円融院（九五九〜九九一）、巻三に円融院女御、東三条院（藤原詮子、九六二〜一〇〇一）、『更級日記』作者の菅原孝標の女、巻四第一段では『源氏物語』の作者の藤原為時朝臣の女（紫式部）の参詣を語り、さながら芸能人のサイン入り色紙を店内に所狭しと貼り付けたラーメン屋のような売り込みようである。

『蜻蛉日記』『更級日記』の作者が出てくるのは、これらの日記に石山寺詣でのことが書かれているからである。さまざまな断片をかき集めて、あの本のあの人も、この本のこの人も、みんなここへ参詣したんですよ！と宣伝しまくっているのである。

石山寺のプロモーション

石山寺の売りが明確に打ち出されるのは巻二の第一段からである。ここでは普賢院内供淳祐が石山寺で夢をみることで願いを叶えた話が語られている。淳祐は少年のとき、顔が醜く、頭も愚鈍で、それを嘆いて石山寺本尊に夜もすがら祈請した。夢のなかに、老僧が二人でてきて、左右の手をとって「面貌端正にして、智恵虚空に等し」といいながら、上下に三回ふるった。夢から覚めてみると、淳祐は美貌と知性を手に入れていたというのである。美しく賢くなった淳祐は、般若寺僧正観賢にともなって弘法大師の御廟に参ったおりに、弘法大師の衣に触れた聖なる匂いが手に残り、その手で触ったお経が石山寺にいまも伝わっているという。弘法大師は空海（七七四〜八三五）のことで、即身成仏をしたので、その遺体は腐敗することなく死後何年も御廟に祀られていた。亡くなったあとも生きているがごとく頭髪が伸びたのであろう。観賢が空海の頭を剃るのに、弟子の淳祐は付き添ったわけである。その後、淳祐は石山寺のそばに普賢院となづけた草庵をかまえたと縁起は述べている。この話に象徴的なのは、淳祐の願いが夢をとおして叶えられている点である。絵巻の画は二人の僧侶に手を取られ上下に三回振るという淳祐の夢のなかの出来事を格子の向こうに描きながら、手前に堂内で眠る人々を描いて眠りの寺であることを強調している。この画が示すとおり、ここは夢によるお告げを得るための寺なのである。『蜻蛉日記』の藤原道綱の母も『更級日記』の菅原孝標女も、夢をみるために石山寺に詣でたのである。

図16 「石山寺縁起絵巻」(小松茂美編『日本の絵巻16 石山寺縁起』中央公論社、1988年)

藤原道綱の母は、藤原道長の父兼家の妻である。「石山寺縁起絵巻」巻二第三段では兼家が通ってくるのが間遠になった頃、石山寺に詣でて、しばしうちまどろんだところで夢をみた。僧が銚子に水を入れて右の膝にかけた、そう思ったところで目が覚めた。この夢が何をさしているのか意味は解かれぬままに、兼家が石山寺にやってきて、それから睦まじい仲に戻ったので、道綱の母はますます信心して常に石山寺に籠もりにきたとある。

しかし『蜻蛉日記』は全編にわたって、自分のところに居着かない、しかも家の前を素通りして別の女のところへ通っている兼家に対するうらみつらみが鬱々と綴られているのであり、石山寺詣でのあとで、たしかにめずらしく兼家がしばらく作者と過ごした時期はあるが、またすぐに他の女のところへ行ってしまったことが書かれてあり、石山寺に信心したとか、常に籠もったなどとは書いていない。この石山寺参詣の段も道中で死人が倒れているのを見ただとか、お弁当を食べただとか、石山寺に着いたあとに池端に自生しているしぶきという野草をとってきて柚を添えて食べたのがおいしかっただとか、いろんなことが書かれているのにもかかわらず、「石山寺縁起絵巻」は、作者が石山寺で夢をみたというところを一番のハイライトとして取り上げている。そしてその夢は兼家との仲を疎からぬものにするという御利益につながっているというわけである。

巻三第三段の『更級日記』のほうは、二度にわたる石山参詣を和歌も入れ込んだかたちで比較的忠実に語り直している。やはり画に取り立てられているのは、夢のなかで麝香を差し出されて、「早くあちらに点けよ」と言われたとする場面である。

そしていよいよ巻四第一段で紫式部が登場するわけだが、『紫式部日記』のどこを探しても石山寺詣でのことは出てこないのである。それなのに、現在石山寺の一番の売り物は、紫式部が石山寺で『源氏物語』を書いたことなのである。「源氏の間」と名付けられた部屋に紫式部の人形が鎮座し、かたわらの立て札には、寛弘元年八月十五夜に紫式部が、他ならぬこの部屋に参籠し、山よりさし昇る名月が湖面にうつった景色に着想を得て綴られたのが『源氏物語』なのだとまことしやかに書かれている。ふつうの観光客ならすっかり信じ切ってしまいそうな芸のこまかさである。

「石山寺縁起絵巻」の紫式部の段は次のように語られている。

珍しい物語が読みたいという一条帝の叔母の選子内親王が一条帝后の彰子に言ってきたので、彰子に仕えている紫式部につくらせることにする。紫式部はおもしろい物語が書けるようにと祈るために石山寺に七日参籠した。湖のほうをはるばると見渡していると心が澄んできて、様々の風情が眼に浮かび、心に浮かぶ。紙の用意などもなかったのでとりあえず目の前にある「大般若経」の裏に思い浮かんだことを書き綴った。のちに紫式部は、大切なお経を使ったことを懺悔して、自ら「大般若経」を書いて奉納した。このお経は今も石山寺に伝わっている。この物語を書いたところを「源氏の間」と名付けて、そのところは今も変わらずある。紫式部を「日本紀の局」とよんだというが、彼女は観音の化身とも伝えられている。

図17　石山寺・源氏の間

石山寺に紫式部自筆の『大般若経』があるという話はきいたこともない。紫式部が石山寺で『源氏物語』を着想したという話もきいたことがないのだから当たり前である。現在もある「源氏の間」は、この絵巻が書かれたころにも用意されていたのだろう。

「石山寺縁起絵巻」によると、なんと紫式部は観音の化身なのである。ならば『源氏物語』を読めば観音の御利益が得られるということだろうか。

現存の「石山寺縁起絵巻」の巻四は、絵巻制作から一五〇年も経過した、室町時代、明応六（一四九七）年の補写本である。詞書が当初のままであったのか、このときに紫式部のエピソードが書き足されたのかはわからないが、石山寺で須磨巻の着想を得たという話が、四辻善成（一三二六〜一四〇二）の著わした『源氏物語』の注釈書の『河海抄』に出てくるから、ここから採ったとみることができそうである。四辻善成がつつましく「須磨」巻を着想したといっているのをあえて無視しているあたりに四辻説を過大に利用した感じがぷんぷん匂う。

女たちの石山寺

「石山寺縁起絵巻」は、宮廷の女たちの書いたエピソードを入れ込み、おまけに石山寺で『源氏物語』を書いた紫式部は観音の化身だとまで女を持ち上げているのだから、女性をターゲットとしていることは明らかだろう。では、石山寺が無理矢理に本尊を如意輪観音だとすることと女性の信仰とはどのように関わるのだろうか。

「石山寺縁起絵巻」は巻五第一段にいたって石山寺に籠もった願主の前に顕れた観音の姿をはじめて描いている。

天治の頃（一一二四〜一一二六）、藤原国能という人がいた。年来連れ添った妻がいたが共に貧しく、子どもにさえめぐまれなかった。夫婦は共に嘆き、国能は妻と別れることにした。女は悲しみ、「いったいどんな宿業によって、こうして貧しいだけでなく、一人の子さえ持てずに、夫に捨てられたのだろう」と、石山寺に七日参籠した。

日夜に三千三百三十三度拝み、命が絶えることもいとわぬいきおいで心をこめて祈請していたところ、ふとまどろんだ夢に、御帳の内から観音が現れて「これは汝の子なり」といって、如意宝珠をたまわった、とみたところで目が覚めた。

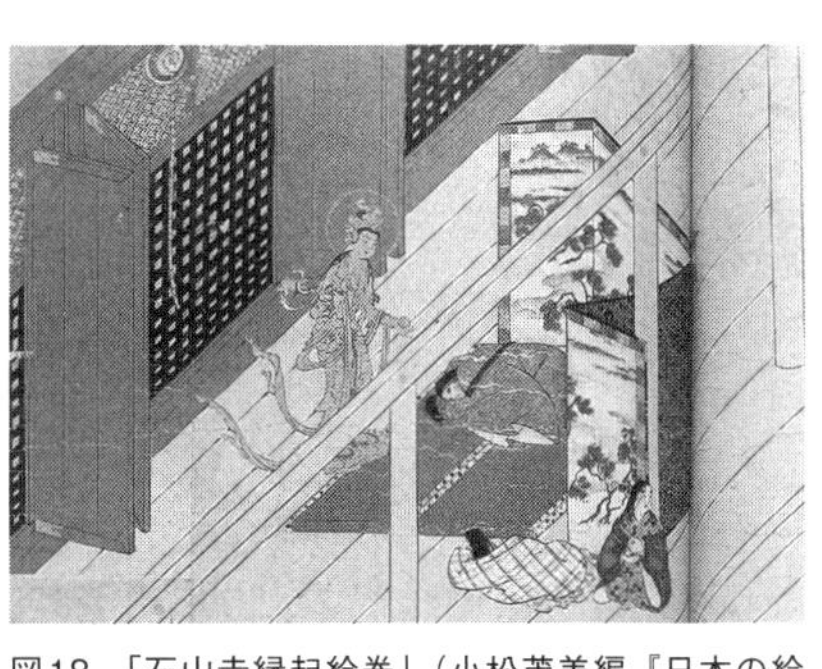

図18　「石山寺縁起絵巻」（小松茂美編『日本の絵巻16　石山寺縁起』中央公論社、1988年）

目覚めると、掌のなかに珠があった。その色は金色でもなく、また赤でもなく、普通の色とは違っている。女は喜び急いで家に帰り、この珠を拝んでいると、国能も戻ってきた。うって変わって富み栄え、なか二年を経て男子も生まれた。

願いどおりこの男子が家を継ぎ、宝珠も相伝した。この男子こそ、文章博士、大内記藤原業実である。まだ若いけれども儒業をへて、勧学院の学問料をのぞんだところ、康治元（一一四二）年十二月三十日、十五歳にて宣旨を賜って学問料を得た。父国能は、二十五歳のときに学問料を賜ったのに、息子は十年早い上、のちには文章博士に薩摩守を兼任し十年間重任されつづけた。このめでたさも石山寺の御利益による宝珠の功力だとますます信心したとか。しかるにことの子細あって、鳥羽院がこの宝珠を相承すると、すべての願もことごとく成就し、皇胤も栄えた。ひとえに宝珠の威徳である。

後には邦綱大納言が相伝して、蔵人にさえなれぬ程度の役人だったのに、正二位・大納言にまで到ったのも、ひとえにかの宝珠の御利益だと言い伝えられている。

石山寺で国能の妻の前に顕れたのは「観音」としか言われていないが「如意宝珠」を授けたのだから如意輪観音を想起させる。意の如くに願いを叶えてくれる珠を授かった女は子宝に恵まれた。物語としては、この宝珠を相伝した人々が次々に栄えたことを述べているのだが、大切なのはその発端に子に恵まれず夫に離縁された女の窮状があり、それを救うために如意宝珠を持った観音が顕れたということである。その後も宝珠の御利益は連鎖するとしても、如意輪観音の顕れを実際に経験したのは国能の妻一人である。しかもそれは夢のなかで起こるのである。

御利益は夢告というかたちで授けられるから、女たちは石山寺へきて眠る。巻七第二段には「石山の観音こそ万(よろず)の神仏の御恵みに漏れむ人を助けむ」と人口に膾炙していたことが語られて、母のために遊女として身を売った娘を救った話がつづく。尼となった母は十八になる若い娘を持つがどうしようもなく貧しい。石山寺ではそうした窮状を救ってくれるときいて祈るが効果がなかった。娘は母を助けるために身を売った。娘が打出の浜から自分を買った男と舟にのったところ、にわかに波が荒れて舟は沈んでしまった。ところが一筋に観音のことを念じていた女の前に波間から忽然と白馬が顕れて、その首にとりついていると浜に打ち上げられた。男のほうは波にのまれて死んでしまった。それ以後この母娘は富み栄えたとある。男に身売りした女を、その男から救うのが石山寺の観音ならば、如意輪観音は女の味方だといってよい。

しかも「石山寺縁起絵巻」をとおして観音の如意宝珠を手にすることができたのは一介の哀しい女ただ一人であった。石山寺に女たちが参詣するのは、さまざまな物語のなかで如意輪観音が女を救う観音だと語られていたせいにちがいあるまいと妄想されるのである。

仏教の図像は、たいていの場合、留学僧が中国、朝鮮半島で写したものを持ち帰り広めたものであり、海外に典拠を持つコピーである。正しい書き方が決まっていてそれを逸脱することは難しい。とはいえ人間の妄想力というものは、往々にして規定をはずれてしまう独創的なものであり、かくして日本独自のオリジナル尊が出てきてしまうことになる。

しかしただ人が自由に発想して描いたものになどに信仰は集められない。コピーには、外国にオリジナルがあるというだけでありがたさのお墨付きがつくが、オリジナル尊はそうはいかない。まず第一に高名な僧侶が感得したという歴とした由来が必要となってくる。たとえば三井寺に伝わる黄不動とよばれる金色不動明王像は、智証大師円珍が修行中に感得したと伝えられるものである。『今昔物語』巻第十一第十二「智証大師亘宋伝顕密法帰来語（ちしょうだいしそうにわたりてけんみつのほふをつたへてかへりきたること）」は、智証大師円珍が宋にわたったことになっているが、仁寿三（八五三）年のことだと書いているのだから唐にわたったのである。五年を過ごし天安二（八五八）年に帰朝している。

唐にわたる前のこと、円珍が石龕の内に籠って修行をしていたところ、忽然と「金（こがね）の人」が現れて言った。「私の姿を絵に描いて年頃に帰依すべし」と。「あなたは誰ですか」と問うと、「金の人」は「我は金色の不動明王なり。我、法を護るが故に、常に汝が身に随ふ。速（すみやか）に、三密の法を極めて、衆生を導くべし」と告げた。円珍がその姿を見るに貴く恐ろしいこと限りなし。礼拝恭敬して画工にそのかたちを描かせた。その像がいまもあるという。

（新編日本古典文学全集『今昔物語』①、小学館、一九九九年に拠る。）

滋賀、三井寺には、平安時代の作とされる金色不動明王を描いた画が秘仏として伝わっている。二〇〇八年から二〇〇九年に「智証大師几帳一一五〇年特別展」として企画され、サントリー美術館他を巡回した「国宝三井寺展」の図録所収の末吉武史「三井寺の不動明王像」によると、円珍がこの「金色の不動明王」を感得したのは、入唐より十五年ほど前の承和五（八三八）年冬のことだが、三井寺の金色不動明王の画は唐からもたらされた図像によく似ており、実際には円珍の帰朝後に描かれたものだと考えられるものらしい。たしかに、その姿は、黄金色であることをのぞけば従来の不動明王像によく似ている。その意味では円珍感得像は、完全なオリジナルというわけではなく、あくまで不動明王のバリエーションの一つということになる。ともあれ、これは日本にしかない像なのだし、三井寺再興の祖である円珍由来の感得像が独自の像としてここにある意味は大きい。三井寺はこの絵から抜け出してきたかのような彫像もやはり秘仏として伝えている。円珍感得像は秘仏でなければならない。秘仏として隠されるからこそありがたさが倍加するのである。

大元帥明王（たいげんみょうおう）は、承和五（八三八）年に入唐した常暁が大元帥法（たいげんのほう）を請来したと言われているから唐に典拠があるのだが、奈良、秋篠寺に伝えられる縁起では、入唐より前に、常暁が秋篠寺境内の井戸で大元帥明王を感得したと伝えられている。常暁が閼伽井で水面に映る自らの影を眺めていたところ、背後に長大な忿怒相の影が重なるのをみた。常暁はその姿を描き写し、唐へ渡る際にそれを携えていったところ、この像を本尊とする大元帥法を学ぶにいたったというのである。大元帥明王が示現したとあって、秋篠寺の井戸の水は宮中の正月の御修法に献じられていた。この修法は鎮護国家の法であり、朝廷のほかは行うことを禁じられていた。したがってその修法の本尊たる大元帥明王もむやみやたらと作ることはできなかった。ところが、一条天皇に入内した中宮定子の兄である伊周がこの大元帥法を使ったというので太宰府に左遷される事件があった。『栄花物語』巻第四「みはてぬゆめ」によると、伊周は通いどころの女をめぐる嫉妬で、その女に懸想する花山院をおどすために矢を射かける事件を起こした。それに続けて語られるのが「大元法」の件である。

> また大元法(だいげんのほふ)といふことは、ただ公のみぞ昔よりおこはせたまひける、ただ人はいみじき事あれどおこなひたまはぬことなりけり。それをこの内大臣殿忍びてこの年ごろおこなはせたまふということこのごろ聞えて、これよからぬことのうちに入りたなり。
>
> (新編日本古典文学全集『栄花物語』①、小学館、一九九五年)

加えて一条天皇の母、女院詮子がこのところ病苦にあって、物の怪のしわざだといわれていたのだが、伊周による呪詛のせいだとして大元帥法の修法に結びつけられる。内大臣であった伊周は、太宰権帥として太宰府左遷の憂き目をみる。罪状は花山院に矢を射かけたことと女院詮子を呪詛したこととされている。したがって、大元帥法は強力な呪詛の法だとされたのである。ただしのちに『栄花物語』は伊周の罪状を「太上天皇を殺したてまつらむとしたる罪一つ、帝の御母后を呪はせたてまつりたる罪一つ、公よりほかの人いまだおこなはざる大元法を、私に隠しておこなはせたまへる罪により、内大臣を筑紫の帥になして流し遣はす」としているので、呪詛の方法と大元帥法との関係は実はあいまいである。

秋篠寺の秘仏大元帥明王像は、鎌倉時代の作だとされるのでまだこのときにはないが、その禍々しさからは、強い呪力を持つと妄想される。一面六臂で髪を逆立てた焔髪（えんぱつ）の忿怒相、上向きの牙をもち、首、六本の上腕と手首、足首、腰に蛇をまきつけている。首と腰の蛇は二体の頭が前で交差するかたちである。三鈷杵、五鈷杵、剣などをそれぞれの手に持ち、左手の一番前の手だけが持物をもたず指を突き立てるかたちをとるが、その指が異様に長いのである。それだけでも異形像だ。安倍晴明を味方につけた道長に押されに押されていた伊周が頼った絶大な呪力を持つものが、国家守護のために請来された大元帥明王だったのかもしれない。

感得像といえば、役行者が感得した蔵王権現はさらに独創的である。『今昔物語』巻第十一第三「役優婆塞誦持呪駈鬼神語（えのうばそくしゅをじゆぢしてきじんをかたること）」には、「金峰山（みたけ）ノ蔵王菩薩ハ、此ノ優婆塞ノ行出（おこなひいだ）シ奉リ給ヘル也」とあって、役行者が祈祷の末に出現させたものとしている。『沙石集』巻第一ノ三（新編日本古典文学全集『沙石集』小学館、二〇〇一年）は、その経緯を次のよう伝えている。昔、役行者が吉野山で修行していた時、釈迦が現れた。役行者はこともあろうに「この御形でこの国の衆生を教化するのは難しいでしょう。お隠れくださいい」と言って追い払った。次に弥勒の姿で現れた。「やはりこれでもだめでしょう」と却下する。すると、今の蔵王権現という恐ろしげなる姿で現れた。役行者は「これこそ我が国を教化できるものだ」と言ったのでこのすがたで垂迹したのである。修行者の信仰が深く、心を一つにして敬うと時にはそれに感応して利益にあず

図19　蔵王権現（11世紀）（ニューヨーク・メトロポリタン美術館蔵）

かることができるとある。

このように仏教界の尊格が現実界に別の姿で現れることを本地垂迹というが、たいがいは日本古来の神と神仏習合してあらわされる。権現は仮の姿で現れることをさす。蔵王権現の場合、いまは蔵王権現と呼ばれることになったが、役行者の前に現れ出たときにはまだ名づけられぬものであった。その上、それは釈迦であり弥勒である可能性が示唆されていた。

吉野の金峯山寺の蔵王堂には現在、像高七メートルを越える中央像に六メートルほどの像が左右に二体並ぶ巨大な蔵王権現像が秘仏として祀られている。中尊は釈迦如来、向かって右の尊像は千手観音菩薩、左の尊像は弥勒菩薩ということである。その姿は、一面二臂で、青色の身軀に、髪を逆立た焔髪で、上向きの牙をもった忿怒相。頭上に高く振り上げた右手には三鈷杵を持ち、左手は腰のあたりで人差し指と中指を立てて剣印を結んでいる（ただし中尊の左手はなにかをにぎるようなかたちである）。左足は盤石を踏みつけ、右足は膝を高く上げた姿である。

蔵王権現像は、すでに藤原道長の時代には金峯山に祀られていたようで、寛弘四（一〇〇七）年八月十一日の道長の日記『御堂関白記上』（倉本一宏現代語訳、講談社学術文庫、二〇〇九年）には、金峯山参詣のおり、「蔵王権現御在所に金銅の燈楼を立て」、その下に自ら書写した金泥の『法華経』他の経巻を埋め、常燈を灯し始めたとある。鬼神を使う役行者が感得した蔵王権現である。道長は、その霊力の強さを頼りにしたのかもしれない。

右足を高くあげた姿は、不動明王を中心とした五大明王の、金剛夜叉明王像、降三世明王像、軍荼利明王像にもしばしばみられるし、虎皮の前垂れをつけているところなどからみても、明王像から蔵王権現像は妄想されたのだろう。ただし、たとえば降三世明王は、大自在天と烏摩妃を踏みつけているのだから、このかかげた右足は、ふり降ろされるためにある。それに対して蔵王権現は、巌の上に立つ姿でその右足は虚空へと振り上げているようにみえる。明治時代の廃仏毀釈で廃絶する前には吉野の安禅寺の本尊だった蔵王権現像は、鎌倉時代の作で、四・六メートルの巨体は蔵王堂の三尊によく似ている。この像の右足の親指はひょいと上をむいているのである。それは上へとふり上げた足の表現なのにちがいない。ではなぜ、蔵王権現は足を踏み上げているのか。おそらくそれは仏像の型とはちがったリアリズムなのだ。役行者の目の前に現れた姿が、そのようであったといいたいのである。吉野曼荼羅として知られる蔵王権現を描いた画像は横に描かれた役行者が見上げるほどの巨大な蔵王権現を描き、やはり虚空に突如として現れた姿を写すのである。そうした唐突な出現のあり方に、日本独自像のオリジナリティは担保されているのである。

第九回　女の統べる霊的世界

おまじないは世界共通の関心事

一八八四年開館のオックスフォードのピット・リヴァース博物館は、軍人で考古学者であったピット・リヴァースが世界各地で集めたコレクションを寄贈したことにはじまるという。不思議なものばかりを集めたように見える収蔵品は、古代遺跡を掘り起こして発掘したものというよりは、収集当時、実際に使われていたものが多く、その意味では考古学博物館というよりは、むしろ民俗博物館の趣である。楽器のコレクションに、竹にとおした紐をはじいて音をだすムックリがあるのをはじめ、極東のアイヌ民族のものが充実しているのは、『万葉集』の翻訳者として知られる日本学の泰斗、バジル・ホール・チェンバレンの寄贈による。チェンバレンはアイヌ文化への造詣も深く、一八八八年にカムイユーカラの英訳を出している。現在でも収集は続いているらしく、お守りやおふだ、伊勢神宮で使われている火起こしの道具など現在に生きている信仰の道具も収められている。

なかでも興味をそそられるのは、世界各地の呪術にかかわる品々である。そもそも私がこの博物館に吸い寄せられるようにして入ってしまったのも、ここに魔女が入っているボトルがあると聞きつけたからであった。一九一五年頃のサセックス、ホーブ近くの村のもので、その村に住んでいた老婆が「この中には魔女が入っている。開けるとたいへんな災厄がふりかかる」と言ったのだという。博物館員が熱心に解説するに、このボトルは一度も封印を解かれていないそうで、中に本当に魔女が入っているかどうかは確かめられていないが、一般にこうしたものは魔女と信じられている人の爪や髪の毛を中に込めて呪的なまじないとしているのだという。他にも魔除けのもの、呪いをかけるためのものなどがさまざまごっちゃに展示されてあって、見れば見るほど薄気味悪く、民間信仰のまがまがしさを存分に味わえるコーナーとなっている。

キリスト教文化圏のはずのイングランドで魔女の霊力が信じられていたということは、仏と神の入り交じる寺社文化圏の日本において、霊的世界と交信する憑依巫女への信心があったことと似ているように思われる。キリスト教文化圏において魔女が異教徒として弾圧されたように、巫女もまた民を惑わす邪宗として忌避されたこともあったが、それでもなお生き延びたのは、それだけ効き目が高く、信心する者が途切れることなく現れつづけたからなのだろう。

図20　魔女の入ったボトル（オックスフォード、ピット・リヴァース博物館蔵）

平安宮廷社会において、朝廷で公認されていた宗教者は、仏教者と神職そして陰陽師だったが、貴族たちは、それ以外にも民間に行われている巫女たちに接触していたのである。たとえば、『蜻蛉日記』の作者の夫であった、藤原兼家は賀茂神社近辺で評判だった巫女を自邸に囲い込み、この巫女の占い通りに出世を遂げたという話が、『大鏡』や『今昔物語』に語られている。賀茂の若宮が憑いているということだから、この巫女のいうことは神のご託宣なのである。この人は「打ち臥しの巫女」と呼ばれて宮中ではちょっとした有名人であったらしい。その娘が左京と呼ばれる女房として、一条天皇の女御義子に仕えていたことが『枕草子』にでている。

遊女の唄った今様を集めた『梁塵秘抄』には「男怖ぢせぬ人、賀茂女、伊予女、上総女」と唄われてもおり、巫女というのは男と関係を持つことで日銭を稼ぐ遊女とほとんど同義の芸能民であることを考えると、市中で活躍していた一介の巫女が宮中に上がり、その娘が女御付きの女房にまでのぼりつめたということは、まさに驚くべきことであったろう。階層を一気に突破させるような強力な信心が、少なくとも兼家にはあったのである。

春日大社の巫女文化

藤原氏の氏の社である奈良の春日大社は、とりわけ巫女の力を頼りにしていた神社であったらしい。延慶二（一三〇九）年に春日大社に奉納された「春日権現験記絵」は、春日大社の来歴を語る長大な絵巻だが、巻一第一段の冒頭から、「橘氏の女」に春日大明神が取り憑き託宣したことが記されている。どうやら春日大社には「橘氏の女」という巫女が常駐していたらしい。時代を隔てて何度も登場することから、一代限りの一人の女性をさしているのではなくて、「橘氏の女」として代々継いでいくような巫女の家筋が関わっていたものと思われる。

それだけでなく、この絵巻には民間に活躍していた巫女がさまざまなかたちで登場するのである。春日大社は民間の芸能民との縁が深く、おん祭という祭礼で芸能者由来のさまざまな舞が奉納されていることが知られているが、芸能民には遊女（あそびめ）が含まれるし、遊女と巫女とは重なり合う。『梁塵秘抄』をみると、次のようにある。

遊女（あそび）の好むもの、雑芸、鼓、小端舟（こはしぶね）、簦翳（おほがさかざし）、艫取女（ともとりめ）、男の愛祈る百大夫。

（新編日本古典文学全集『神楽歌／催馬楽／梁塵秘抄／閑吟集』小学館、二〇〇〇年。適宜表記は改めた。）

ここからは遊女が、雑芸や鼓打ちといった芸能をする者であること、また舟に乗る者であることがわかる。遊女たちは、宿場町や船の発着のある宿場で芸を披露し、お客をとっていた。舟やその舵を取る者、遊女にかざす大きな笠は、「法然上人絵伝」に描かれた室津の遊女そのものだ。ところで巫女の舞いとはいったいどのようなものであったのだろう。同じく『梁塵秘抄』に次のようにある。

よくよくめでたく舞ふものは、巫（かうなぎ）、小楢葉（こならは）、車の筒とかや、八千独楽（やちくま）、侏儒舞（ひきまひ）、手傀儡（てくぐつ）、花

の園には蝶小鳥

よく舞うものとして、巫女、木の上からくるくる回りながら落ちてくる葉っぱ、車の車輪を支える軸、独楽などが挙がっている。これらから想像するに、巫女が披露する舞とは、くるくるとその場で回転しつづけるようなものであったようである。そうすることで巫女はトランス状態に陥って神を憑依させたのかもしれない。また蝶、小鳥などとともに挙がっている侏儒舞（ひきまい）は、芸能の場にみられる俗に小人と呼ばれる体の小さい者の舞、手傀儡は人形遣いのことである。したがって巫女というのは、こうした芸能民と同じ職能民であって、神を憑依させ、神のことばを託宣することを稼業としていた者たちである。そしてそれは遊女とときに重なり合うものでもあったのである。

「春日権現験記絵」巻四第四段には、若宮の拝殿で舞を舞っている巫女が神がかりして託宣をする話が出ているし、続く第五段にも若宮の前で集って神楽を舞っている巫女から託宣を得る話がでていて、若宮の拝殿前に巫女が来ては舞を舞い、春日大明神の神託を語ることがあったらしい。

それだけでなく、この絵巻には春日大明神が市井の巫女に憑依することも記されているのである。「春日権現験記絵」巻六第三段は、般若心経をのみ込んでしまった蛇をいじめていた子どもが重病におちいったので、護法占（ごほううら）をしてみると、春日大明神が憑依して、「私の知り合いが邪執によって蛇道に堕ちたので、救ってやるために『般若心経』をのみ込ませたのをいじめたのが返す返すも遺恨なので罰しているのだ。『大般若経』を読めば命は助かるだろう」といったので、その経を読んだところ病は癒えたという話である。この詞書きに対応する画をみると、春日大明神を神降ろしした者とは鼓巫女であったことがわかる。庶民の家らしく飾り気のない板屋の奥の間で熱にうなされているような男児が臥している。それを心配そうに見守る二人の女は母親と乳母だろうか。母親のそばには病人が食べやすいように切り分けた果物が置かれている。手前の部屋では、曲げわっぱの大きなおひつのようなものを簡易の台として、その上に塩をのせた盆が置かれている。そのわきでは鼓を前に置き、病人を指さしている、はげ上がり、もはや性別不詳となった巫女の姿がある。大きな口をあけて何かを語っている様子なのは、この老女に春日大明神が憑依しているのであろう。老女の向かいにこちらに背を向けて座る男は、大きな数珠の輪を繰りながら神の託宣に耳をかたむける山伏である。

『梁塵秘抄』には「凄き山伏の好むものは、味気な凍てたる山の芋、山葵(わさび)、粿米(かしよね)、水、雫、沢には根芹とか」という唄があって、遊女の活動圏域には、山伏もいることがわかる。ここでの護法占では、おそらくは巫女と山伏とがペアとなって憑依状態にある巫女の言うことを解釈する審神者(さにわ)の役割を山伏がしているのだろう。

また「春日権現験記絵」巻十五の第一、第二段は、ある僧侶が春日大社で居眠りしているお坊さんの頭を足で蹴飛ばしたところ、病気になった話である。そこで巫女を呼んで春日大明神を降

図21 「春日権現縁起絵巻」(小松茂美編『続日本の絵巻14春日権現験記絵 下』中央公論社、1991年)

ろしてみると、「いっさい助けることはまかりならん」といわれた。なぜかといえば、頭を蹴飛ばされたお坊さんとは一心に仏典を学んでいた春日大明神だったからだという。ここに付随する画もまた鼓を打つ巫女の姿である。僧侶が住まう家は庶民の家に比べて段違いに格上であることが一見してわかる。ただし構図はほとんど同じで、奥の間に病に苦しむ僧侶の姿を描き、手前に呼ばれやってきた巫女とその接待をする僧たちが描かれている。巫女は、塩を盛った漆塗りの高坏を前に、肩にのせた鼓を打ちながら大きく口をあけて何か語っている様子だ。貧しい庶民が呼んだ巫女と僧たちが呼んだ巫女とでは、その衣装から格が違うことがわかるが、とはいえ病ともなれば、貴賤を問わず、市井の鼓巫女を呼んで、神を降ろして託宣してもらっていたということがよくわかる。

ところで、なぜ神様が仏典を学んでいたのかといぶかしく思う向きもあるかもしれない。寺と神社が現在のようにまったく別物の扱いとなったのは、明治時代に国家神道をつくりあげるにあたって、神社から仏教を排除した廃仏毀釈以後のことである。かつて神と仏の関係は渾然として緊密であった。とくに本地垂迹説の流行した中世には、神と仏の関係は、仏界の尊格たる「本地」が、神として垂迹、つまりこの世に姿を顕現するのだと考えられていた。

「春日権現験記絵」巻八第一段によると、春日大明神の本地は釈迦である。ここでは生身の釈迦像を本尊とする清涼寺に春日大明神がやってきたことを語り、釈迦が本地であることの証拠としている。

「春日権現験記絵」巻十六第二段には、解脱上人貞慶が、笠置寺に寺の鎮守として社を建ててそこへ春日大明神を勧請したところ、春日大明神のことばが天から聞こえてくる夢をみたとある。

あるとき、上人夢想に、天の中に御声ありて、和歌を詠ませさせ給ふ。

　我を知れ釈迦牟尼仏の世に出でて清(さや)けき月の夜を照らすとは

とて、又、同じ御声にて、今様を歌ひ給ふ。

鹿島の宮よりかせぎ(鹿)にて、春日の里を訪ね来し、昔の心も今こそは、人に初めて知られぬれ

となん見給ひけり。

（続日本の絵巻14『春日権現験記絵』下、中央公論社、一九九一年。適宜表記は改めた。）

和歌からは春日大明神は釈迦の垂迹した姿であることがわかる。今様に唄われているのは、春

日大社と鹿島神宮との関係である。いまでも春日大社のまわりには多くの鹿が生息しているが、鹿は春日大明神の乗り物であった。鹿島神宮とは「鹿」を縁語として関係が結ばれているらしい。ふつう神のことばは和歌で伝えられるのである。『後拾遺和歌集』以後の勅撰和歌集には「神祇歌」という部が立てられて、神の詠んだ歌を集めている。神の歌といっても、実際には神のことばを媒介する巫覡が詠んだはずであって、巫女は和歌にも通じた教養人でなければならなかった。ところがこの絵巻では神が和歌だけでなく、今様を唄ったことが記されているのである。今様を唄ったのは遊女たちだったわけだが、遊女が巫女であったせいで、いつのまにか神の歌に遊女たちのなじんだ唄が取り込まれていっているのである。

ところで『梁塵秘抄』によると、巫女の使う神降ろしの道具には、鼓のほかに、鈴、弓などもあった。にもかかわらず、「春日権現験記絵」が徹底して鼓巫女の姿を描きつづけたのはなぜなのだろう。そういえば、鼓巫女といえば、かの「石山寺縁起絵巻」にもひそかに描かれていたではないか。

巫女と女の信仰と

第八回「女たちは石山寺をめざす」で扱った「石山寺縁起絵巻」巻五第一段の、子のなき貧しい女の夢に観音が姿を現し、如意宝珠を授けられた後、男児を産んだという話では、観音出現場面に連続する画に女が石山寺を出て行く姿が描かれている。石山寺の内と外を分ける門のところには、鼓を打つ巫女が座っているのである。この巻は、江戸時代の補作で元の画がどのようなものであったかはわかっていないものの、詞書きには門の下に鼓巫女がいるなどとは書かれてはいないから、おそらくは石山寺の典型的な風物として書き入れられたものとみえる。

そういえば『梁塵秘抄』に次の唄がある。

寝たる人うち驚かす鼓かな、いかに打つ手の懈(たゆ)かるらん、いとほしや

寝ている人を目覚めさせる鼓の音だな、その鼓を打つ手はどれだけだるいだろう、いとおしや、という唄である。石山寺が夢を見るために籠もる寺だとすると、この画の鼓巫女の右手が鼓を打ち続けているさまはその眠りを覚ますようにして盛んに鼓を打つ巫女が実際にいたことを妄想させるのである。

『梁塵秘抄』に挙がる地名や寺社が、巫女たちの活動圏域と重なっているとすれば、石山寺もそのリストに入っている。

観音験(しるし)を見する寺、清水、石山、長谷の御山、粉河、近江なる彦根山、間近く見ゆるは六角堂

ここには観音の効験が高いと評判の寺が列挙されている。清水寺には千手観音がいるし、石山寺には如意輪観音、長谷寺に十一面観音、粉河寺に千手観音、近江の彦根山の西寺観音に聖観音、六角堂と呼ばれている京都の頂法寺に如意輪観音がいる。

よく似た唄で次のものがある。

験仏(げんぶつ)の尊きは、東の立山、美濃なる谷汲みの、彦根寺、志賀、長谷、石山、清水、都に間近き六角堂

図22 「石山寺縁起絵巻」(小松茂美編『日本の絵巻16 石山寺縁起』中央公論社、1988年)

霊験あらたかな仏のいるところとして立山は山自体が霊山、岐阜の谷汲山華厳寺、志賀寺が加わる。立山が入ることから遊女の圏域が山岳信仰にも関わっていることがわかる。だからこそ山伏と活動をともにしたのだろう。

いずれの唄にも、石山寺はしっかりと名を挙げられているのであって、石山寺に遊女あるいは巫女がいたことはほぼ間違いない。ということは、石山寺にやってくる参拝者たちは、ただ堂内で観音のお告げの夢を見るだけではなくて、巫女を雇って託宣を得たりもしたのではないかと妄想されるのである。あるいはむしろそのために女たちは物詣でにでかけたのかもしれない。

恋に生きた女として知られる和泉式部は、男に忘れられ心乱れていたころ、貴船神社へ参詣し

ている。『後拾遺和歌集』「雑六」には神祇歌として次の歌が載る。

男に忘られて侍ける頃、貴布禰に参りて、御手洗川に蛍の飛び侍けるを見てよめる　　和泉式部

もの思へば沢のほたるもわが身よりあくがれ出づるたまかとぞ見る

御返し

奥山にたぎりておつる滝つ瀬のたまちるばかりものな思ひそ

この歌は貴舟の明神の御返しなり、男の声にて和泉式部が耳に聞えけるとなんいひ伝へたる

（新日本古典文学大系『後拾遺和歌集』岩波書店、一九九四年。適宜表記は改めた。）

貴船神社を訪れた和泉式部は、そばを流れる禊ぎの川である御手洗川（現在の貴船川）に蛍が飛び交うのを見る。蛍はまるで、恋に惑う我が身から抜け出した魂のように見えるという歌だ。この和泉式部の歌には、貴船明神の返歌がつく。魂を身から散らすような物思いをしなさんなという歌であった。この神の歌について、ここでわざわざ「男の声」で和泉式部の耳に聞こえたとことわっているのはなぜだろうか。こんなことをいうのは、実際にはこの神の歌を媒介したのが女の巫女だったからなのではないかと妄想されてならないのである。

むろん、神がかりする巫覡（ふげき）は男女ともにいたはずだが、『梁塵秘抄』には「東（あづま）には女はなきか男巫（をとこみこ）、さればや神の男には憑く」という唄がある。東国では、男巫がいるのだという、だったら神が男に憑依するのかと驚いている唄なのだから、少なくとも一般には、巫覡といえば女性であったらしいことが知られる。だとすれば、ここでわざわざ「男の声」で聞こえたというのは、それは神のことばであって、巫女の創作した歌ではないということを強調しつつも、実際には女の声だったと考えてもよいように思われる。

『夫木和歌抄』の寂蓮法師（?～一二〇二）の歌に次のものがある。

小夜深き貴船の奥の松風に巫覡（きね）が鼓のかたおろしなる

（国書寮叢刊『夫木和歌抄五』明治書院、一九八八年。適宜表記は改めた。）

深夜に松風に乗って、貴船の奥のほうから巫女が打つ鼓の音が聞こえてきているという歌だ。すると貴船神社もまた鼓巫女の活躍する場であり、恋に悩む女は、鼓巫女に会うために貴船神社に参ったのかもしれない。

嫉妬と呪い

恋の悩みが深まれば、恨みつらみの嫉妬に狂い出す。なんといっても貴船神社は能の「鉄輪」の舞台である。「鉄輪」は、夫に捨てられた女が後妻となった女を恨んで貴船神社に丑の刻参りをする話。別な女に心移りして自分を捨てたのは夫であるのに、先妻が恨むのは新しい女のほうだ。頭に五徳をのせて、そこにろうそくを灯しながらの狂乱の体で後妻を打ちのめし、呪い殺そうとする。貴船神社の巫女たちは、そんな女の嫉妬に苦しむ姿をも見届けてきたのだろうか。『梁塵秘抄』には、つれない男を恨む、こんな唄がある。

われを頼めて来ぬ男、角三つ生ひたる鬼になれ、さて人に疎まれよ、霜雪霰降る水田の鳥となれ、さて足冷たかれ、池の浮草となりねかし、と揺りかう揺り揺られ歩け

私を頼るふうでいて、通って来ない男よ、角が三つ生えた鬼になってしまえ、それで女に疎まれるようになれ。霜、雪、霰降る水田に立つ水鳥となってしまえ、足が冷たいだろうよ。池の浮草となってしまえ、あっちへ揺られこっちへ揺られとふらふら歩いていろよ、と男の不幸を願う唄である。これが呪詛のことばでなくて何であろう。ことによると巫女が呪いの手助けをするこ

ともあったのではないか。

『とはずがたり』では、後深草院の宴席に、唄をうたい舞を披露する白拍子の姉妹を呼んでいる。白拍子は、男性の衣装をつけて男装して舞うことで知られる芸能民である。このとき唄われた今様は、「相応和尚の割れ不動」「柿本の紀僧正、一旦の妄執や残りけむ」といったことばを含んでおり、染殿の后に恋慕したその恋の執着のあまり、死後、青い鬼となった僧侶の話であった。

この物語は、平康頼（一一四六〜一二二〇）が編纂した『宝物集』巻第二にとられている。柿本紀僧正真済（しんぜい）が、文徳天皇の后に恋慕執着して、死後「紺青の色したる鬼」になって后にとり憑いた。これを調伏しようとした相応和尚が、無動寺本尊の不動尊に祈ると、不動尊の像がぱっかりとふたつに割れて、調伏の法を教えてくれたという話である。生前、真済は不動の行者だったため、その不動尊が青い鬼となった真済を加護していたのであった。

こうした説話が、今様に唄われることでよく知られるものとなっていったのだろう。恋の妄執に狂ったのは、この場合、男で、しかも僧正というトップクラスの僧だけれども、男女を問わず、恋慕執着が昂（こう）じると青い鬼になってしまうという話として理解されるようになったのではないかと妄想される。

というのも、奈良、東大寺のお水取りとして知られる、毎年二月堂で行われる修二会で読み上げられる結縁者のリスト、過去帳に鎌倉時代以降、あらたに加えられたのが、「青衣（しょうえ）の女人」なのである。しかも過去帳の中でもとりわけ「青衣の女人」という名は、まるで強い執心を鎮めるように声を落としてゆっくりした調子で読み上げられる。

「青衣の女人」については、「二月堂縁起絵巻」下巻第二段（続々日本絵巻大成　伝記・縁起篇6『東大寺大仏縁起・二月堂縁起』中央公論社、一九九四年に拠る）に次のように語られている。

修二会の行法の式次第として、五日目と十二日めの初夜の行いの終わりに、上は本願をたてた上皇から下は、東大寺に結縁した道俗の衆にいたるまで、その名を記してある過去帳を読み上げ、成仏を祈る。承元年中（一二〇七〜一二一一）の頃、この過去帳を読む僧集慶の前に青き衣を着た女人がにわかに現れて、なぜ我の名を過去帳から読みおとしているのだと言って、かき消つように失せた。青い衣を着ていたので、青衣の女人と名づけて、今も読まれている。

図23 「二月堂縁起絵巻」（小松茂美編『続々日本絵巻大成　伝記・縁起篇 6　東大寺大仏縁起・二月堂縁起』中央公論社、1994年）

これに対応する画には、僧侶の前に顕れた「青い衣」を着た女が描かれている。畳の上に坐す三人の僧侶のうち、手前で紙をかざしているのが集慶なのだろう。その集慶の目の前の板間にぽつねんと坐す女が描かれている。女の着ている衣は緑色に見えるが、日本語では野菜を青物といったりするなど、緑色をさして青というのだから、これは青い衣になるのである。

この女の正体はまったくもってわからない。集慶は名を問うことさえしなかった。どこの誰とも知らない女だけれども無視することのできない凄みがあったのだろう。そのときの一度だけではなく、それから毎年、現在に至るまで、修二会のたびに決して言い落とされることなく読み上げられており、絵巻にもその由来がしっかりと書かれている。目の前にふっと顕れて消えたというのだから、女はおそらく霊なのであろう。万が一読み落としでもしたら祟りにでもあうかといわんばかりである。

そんなふうに丁重に扱われるのは、この女が青い衣を着ていたせいではないだろうか。青い衣を着ている女は、死んで青い鬼となった真済のイメージと重なって、嫉妬に狂い怨霊となった女に見えたのかもしれない。おそらくこの名も無き女は、特定の人物ではないのだろう。「青衣の女人」とは、恋に泣かされ、苦しんだ、すべての女たちの狂いまどった魂だったのではないかと妄想されてならないのである。

第十回　失われた物語を求めて

彫像の経年変化と物語——執金剛神像の場合

神や仏の存在というのは、どうにもあいまいである。だからそれを説明し、確かなものとするためにさまざまな物語が作られ、語られてきた。嵐や雷を神のお告げと考えたりするのも物語の力であるし物語こそが、そこに神の存在を妄想させたのである。仏像や神像がいくら造られても、それが何を意味しているかを教える物語がなければ信仰には結びつかない。

であるから、極端なことをいえば宗教には物語さえあればよいのであって、仏像などの形あるものは必須のものではない。それでも日本の神仏への信仰では、彫像をつくって、それをまつり、祈りを捧げるということを積極的にしてきた。その上、像そのものに霊験が宿っていると考えてきたわけである。第六回「生きている仏さんにあうということ」でみたように、清凉寺の釈迦如来像が生きている釈迦なのだといわれれば、それを見に行きたいし、拝みたい。そんなふうにして物体としての仏像や神像そのものに価値を見いだしてきた。ユダヤ教やイスラームなど、世の中にはこうした偶像崇拝を禁じている宗教もある。仏像は仏典世界の単なる表象にすぎず、ほんとうは仏典世界の物語を信仰しているはずなのに仏像が信仰の対象となってしまうのはたしかに倒錯的である。偶像崇拝を許すと像自体が蠢き出して勝手に物語を産出する器官になってしまう。

奈良、東大寺法華堂、通称三月堂の執金剛神像は、堂内に本尊として祀られる不空羂索観音立像の背面で本尊を守護している像である。背面にあるだけでなく、厨子の中に入れられているから、特別開扉のときにしか姿を見ることができない秘仏である。塑像といって粘土で作られた像に鮮やかな彩色がほどこされている。像高一七三センチ強の人間サイズで、三月堂内に不空羂索観音像と並んで立つ金剛力士像や四天王像が三メートルを超える大きな像なのにくらべると、かなり小ぶりに感じられる。秘仏だったせいか、色彩は鮮やかにのこるが、塑像のもろさゆえか、髻を結っている元結の右手側、風になびく天衣の首の裏側の部分が欠損している状態である。これらの欠損は、かなり昔に起こったものらしく、この像がこのような姿であることを説明する物語がすでに平安時代には存在している。

平安時代につくられた歴史書の抄本『扶桑略記』(『國史大系』第一二巻、一九三二年に拠る)は、天慶三(九四〇)年一月二十四日条に次の逸話を載せている。平将門の乱の動乱の最中で、将門を調伏するための呪法がさまざまな寺社で行われていた頃である。

東大寺羂索院の執金剛神像の前に、七大寺の僧が集まって、将門調伏の由を祈祷した。すると、数万の大きな蜂が堂内いっぱいに満ちて、迅風がにわかに起こって執金剛神の髻の糸を吹きとばした。数万の蜂は髻の糸につきしたがって、東に向けて雲を穿って飛び去った。時の人は皆、将門誅害の瑞祥であると言った。

羂索院とは、不空羂索観音像を本尊とする法華堂である。ここの執金剛神像の前に、南都七大寺、すなわち興福寺、東大寺、西大寺、薬師寺、元興寺、大安寺、法隆寺の僧が集まって将門調伏の祈祷をしたというのである。平安時代には執金剛神像の髻を結ぶ糸というかリボン状のところの右側部分はすでに欠損していたのだろう。それが数万の蜂を率いて将門を討ちとったのだというのである。執金剛神というのは、金剛力士すなわち仁王と同じで、金剛杵を持って門前に立ち仏法を守護する役割なのだから、国家守護の祈りの対象になるのはいいとして、当の執金剛神像自体が、髻の元結いの片方を失ってまで霊験をしめしたという話である。

『扶桑略記』は別伝として次のような物語も伝えている。

東大寺羂索院の後ろに、等身の執金剛神の像がある。頭の後ろ右方の天衣が切れて落ちている。古老がいうには、天慶のころ、平将門が国家をあやうくすることを謀った。戦況は悪く、公家たちはその難をまぬがれるために、このことを寺に祈祷するように求めた。執金剛神像は、二十余日のあいだどこかへ隠れてしまっていた。寺ではこれを不思議なことだと思って天皇に奏上した。戦の勝ち目がないということではと、人々は怖れた。すると幾日もしないうちに、執金剛神像が戻ってきて本壇に立っていた。その頭の上の飾りをみると右方が欠け落ちていた。またその身は汗を流したごとくしめっていた。

蜂になって東国に飛んでいったなんていうのは、まだまだ甘い。体を張って国を守るというのはこういうことだと言わんばかりの別伝である。戦闘ロボットよろしく執金剛神像自らが東国へ出向き、戦い、勝利し、汗だくになって戻ってきたのである。右の元結いの欠損及び天衣の欠損は、戦で受けた傷だというのである。

こうした物語は、明らかに執金剛神像の天衣や元結いが欠損したあとになって創られたものである。彫像の経年劣化が物語を次々に生み出し、縁起を更新していく。そんなふうに彫像と物語の関係は倒錯していった。それ以後、この元結いと天衣はぜひとも欠けていなければならないものとなり、それらを修復によって補うことはもはやできない選択となってしまった。

『古事記』が語る神功皇后

彫像が物語を生み出すとしても、肝心の像が失われてしまったケースもある。反対に彫像だけが残って、付随する物語が失われてしまうこともある。失われたものを見いだすには、大いなる妄想力が発揮されねばならない。以下、失われた物語を求めて、神功皇后の物語を辿り直していきたい。

第五回「なぜ海の神は女でなければならないか」で紹介した中世の神功皇后の物語は、『古事記』『日本書紀』をもととして、八幡信仰に取り込まれていった。八幡神という神は『古事記』『日本書紀』には出てこないから、のちに形成されたものである。とくに中世に元寇の脅威にさらされて、神功皇后が海を越えて新羅を帰伏させた物語は異国調伏の物語として再構成された。

さらにまた、この中世版の神功皇后説話は、東アジアの侵略と植民地支配に利用されることとなり、朝鮮半島への侵略の根拠付けとされて、とりわけ問題含みのものとなる。神功皇后の海の女神としての信仰は一方で確かにあったものの、一時はなかなかに物騒な物語でもあったのである。そのような剣呑な物語への変容には、失われた物語に一因があるのではないか。その失われた物語に迫るために、まずは『古事記』から順に物語の変転をみていこう。

『日本書紀』の神功皇后像を『古事記』のそれと比較してみると、『日本書紀』でようやく海の女神らしさを発揮していることに気づく。それに対して『古事記』の伝承は、ほとんど同じ話を語っていながら、まったく異なる神功皇后像を描き出している。『古事記』にはどのように書かれていたのか、確認しておこう。

『古事記』(新編日本古典文学全集『古事記』小学館、一九九七年に拠る)において、神功皇后こと息長(おきなが)帯日売命(たらしひめのみこと)は、まずもって神をよせる巫女なのである。神は皇后に憑依して託宣する。仲哀天皇が熊襲国を討つにあたって天皇が琴を弾いて、建内宿禰大臣(たけうちのすくねのおほおみ)が審神者(さにわ)役となり神の意向をたずねる。憑依した神は、皇后の口を借りて「西の方に国あり。金、銀をもととして、目のかがやく、種々の珍しき宝、あまたその国にあり。吾(あれ)、今その国を帰(よ)せ賜はむ」と言った。

西の方にある国を帰伏させようというのは神の意志である。人間はそれに従うだけである。ところが仲哀天皇は高いところに登っても海がみえるだけで国など見えないではないかと言って神のいうことを信じなかった。神は怒った。建内宿禰はあわてててとりなそうとして、天皇に琴を弾くように言うのだが、天皇は身を入れて弾こうとしない。神は機嫌を直すことなく、ふっと琴の音が途切れたかと思うと天皇は死んでいたのである。

驚いた皇后たちは、国を挙げての大祓をして、再び神意をたずねる。神は、皇后の腹の中にいる男子がこの国を統治するだろうと言った。いったいこの神は誰なのかと問うと、次のように答えた。

これは、天照大神の御心ぞ。また底箇男(そこつつのを)・中箇男(なかつつのを)・上箇男(うはつつのを)の三柱の大神ぞ。　（『古事記』）

この底箇男・中箇男・上箇男の三神はすでにイザナギ、イザナミ神話に出てきている神で、死んだイザナミを追って黄泉の国へ行ったイザナギがみそぎした水底から成った神で、この三神が住吉大神である。このとき同時に、底津綿津見神(そこつわたつみのかみ)、中津綿津見神(なかつわたつみのかみ)、上津綿津見神(うへつわたつみのかみ)の綿津見(わたつみ)三神も成っていて、この三神は阿曇連(あずみのむらじ)が祖神として祀り仕える神だという。住吉が河の神、綿津見が海の神である。

天照大神という太陽神と住吉三神という河の神の意向によって西の国に宝を求めることになるわけである。それらの神の教えるところでは、本当にその国を求めようと思うなら、天神(あまつかみ)、地祇(くにつかみ)、山の神、河・海の神に幣帛(みてぐら)を奉って、住吉三神の「御魂(みたま)」を船の上に乗せて、真木の灰をひさごに入れて、箸と葉でつくった皿をたくさん作って、それらを海に散らして航海せよという。海中の神に供物を捧げるやり方はまるで祭の光景のようである。
言うとおりにすると、海原の魚という魚がことごとくあらわれて船を背負って進めていく。そうして津波のような大波にのって、そのまま新羅国の真ん中あたりまで行き着いてしまうのである。津波に襲われて驚いた新羅国王は、今よりのち、天皇の命にしたがって、毎年船をならべて止むことなく朝貢すると誓約する。それは半ば水の神に対する誓約のようでもある。というのも、皇后は、新羅国の門に杖をつき立てて、船に乗せて運んできた住吉大神の荒御魂（あらみたま）を国守の神として、そこに祀って帰還するからである。要するに『古事記』の語る神功皇后の新羅行きは、住吉神の託宣によってなされたことであり、水難におびえていた新羅国王に、お節介にも水の神たる住吉神を新羅国の守護として置いてくるのである。『古事記』の語る神功皇后は神意を知る巫女にすぎなかった。

帰還した神功皇后は、各地の伝説を跡づけながら巡航する。子どもが産まれたところは宇美（うみ）と名づけられたとか、新羅行きの途中で子どもが産まれないようにと腹にあてていた石は筑紫国の伊斗村（いとのむら）に今もあるとか、筑紫の末羅県（まつらのあがた）の玉島里（たましまのさと）で、河中の岩の上に座って、裳の糸を抜き取り、飯粒をつけて餌として、鮎を釣ってそれ以来、この地では女性が鮎を釣るのだとか、各地の重要な伝承が語られていく。

『日本書紀』が語る神功皇后

さて、『古事記』の神功皇后が住吉神という水の神に従って、新羅国からの朝貢を約束させるという、神にただ従う存在だったとすれば、『日本書紀』の神功皇后は海の女神らしさをあらかじめ備えているようにみえる。『日本書紀』（新編日本古典文学全集『日本書紀』①、小学館、一九九四年に拠る）では神功皇后は、気長足姫尊（おきながたらしひめのみこと）とあって表記が少し異なる。

はじめに仲哀天皇が熊襲を討つと言い出すところは同じだが、神の託宣を聞くより前に、皇后に、穴門（あなと。山口県の長門のこと）で落ち合おうと約束して、天皇はさっさと出かけてしまう。

皇后は、船で穴門へと向かうのだが、そこでいきなり海の幸をめぐる霊験譚が語られることになる。道中、船上で食事をしていると、鯛が船のそばに集まってきた。皇后は、酒をその鯛に注いでやった。魚は酔っ払って浮かんできた。海人たちはその魚を獲て喜んで「聖王（ひじりのきみ）のたまふ魚なり」と言った。この魚こそ六月になると酔っ払ったように口をぱくぱくさせている、あの魚であるという話である。神功皇后は、海の幸をもたらす性格を備えている。

さらに、皇后は豊浦津に泊まったが、この日に「如意珠（にょいのたま）を海中（わたなか）に得たまふ」と唐突に付け加えられている。どういうわけか、皇后は海中の龍王の珠を手にしているのである。

天皇と皇后は、いまの香椎（かしい）の橿日宮（かしひのみや）を宮殿として落ち着く。ここでようやく、熊襲を討つことについて神託を得る話が語られることになる。ここでは天皇が琴を弾くこともないし、審神者として武内宿禰が出てくることもなく、ただ神が皇后に憑依して託宣する。託宣の内容はだいたい同じで熊襲なんてやめておけ、新羅国へ行けという。神は「もしよく吾をまつりたまはば、かつて刃を血らずして、その国かならずまつろひなむ。また熊襲もまつろひなむ」と言う。ただ神に祈りさえすれば、恵みとして新羅国と熊襲の服属はもたらされるというのである。ここでもやはり仲哀天皇は信じない。そして熊襲を討とうとするが、戦勝を挙げられずに戻ったとたんに病みついて亡くなってしまう。皇后は天皇の死を隠し、天皇に代わって新羅征討を果たそうとする。

仲哀天皇が神を疑った祟りで亡くなったというので、皇后はまず、いまの宗像のあたりの小山田邑に斎宮を造らせて、自ら神主となって神意をたずねるのである。ここでは、武内宿禰に琴を弾かせ、中臣烏賊津使主を審神者としている。まず仲哀天皇に託宣を下した神は誰だったのかをたずねると、次々に神の名前が挙がってくる。このなかに例の住吉三神もいる。神が教えるとおりにそれらの神を祀って、その上で熊襲を討った。たいした戦闘もないまま熊襲は服従する。それから皇后は、熊鷲、土蜘蛛などの、あらゆる敵を討ってとる。

松浦県の鮎釣り説話はここでも語られている。玉島里の小河で食事をしていた皇后は、裳の糸を抜いて、糸にして飯粒を餌にして鮎釣りをするというのは同じだが、『古事記』と異なるのは、ただ河の幸を得るという話ではなくて、新羅出征の是非を問う占いとして行われていることである。「われ、西、財国を求めむと思ふ。もし事なすことあらば、河の魚、鉤を飲へ」といって、竿を挙げると鮎がかかった。鮎は新羅征討の吉兆である。

祇園祭の山鉾の一つである占出山は、『日本書紀』のこの鮎釣り説話をもとにしている。烏帽子をかぶって男装した神功皇后が釣り竿と釣り上げた鮎を手に持つ姿がかたどられている。お腹に子を宿したまま新羅国まで赴いたにもかかわらず無事に出産したので、安産の神としても信仰されており、祇園祭のときには安産祈願の腹帯などが授与される。占出山の神功皇后の姿は、祇園祭山鉾連合会のサイトで見ることができる。

いよいよ新羅出征というときに、皇后はまたしても神意をはかる占いをする。長い髪を解いて、海に向かって次のように言う。「これから青海原をわたって西の方を征討しようと思う。いま頭を海水にすすぐ。もし験（しるし）があるのなら、髪よ、おのずから分かれて二つになれ」。すると髪は二つに分かれた。皇后はそれを角髪（みづら）に結い上げて男装した。角髪というのは、両耳の脇に髪を輪にして結う髪型で、古代には成人男性の姿であった。

神功皇后は、二度の占いによって、新羅征討の根拠を河の神、海の神の神意として得るのである。

さて、皇后の男装であるが、これについては、皇后自身が次のように述べている。

「吾、婦女（たをやめ）にして、また不肖（をさな）し。しかはあれども、暫（しまら）く男（ますらを）のすがたを仮りて、あながちに雄略（ををしきはかりこと）しきはかりごとを起さむ。」　（新編日本古典文学全集『日本書紀』①、小学館、一九九四年）

角髪を結って男装する話自体は、すでに天照大神の話にある。これは、その焼き直しないしは引用である。天照大神は素戔嗚尊（すさのをのみこと）がやってくるというので、国を奪うつもりなのだと身構える。「髪を結ひて髻（みづら）とし、裳を縛（まつ）ひて袴とし」、角髪や腕に玉の飾りをつけ、背中に矢の入った靫（ゆき）を背負い、肘には鞆をつけて弓を持ち、剣の柄を握りしめ、股まで埋まってしまうほどの気合いで大地を踏みしめて弟を迎えるのである。これらの例からみるに、『日本書紀』における女の男装は、多分に儀礼的なものである。

男装したからといって、新羅行きの次第に大差はない。べつに男装なんてしていなかった『古事記』と同じように、新羅行きの船に荒魂（あらみたま）を乗せて、魚たちが船を運んでいき、新羅国の真ん中まで至り、新羅国王が驚いて朝貢を約束するのである。ただし、ここでの荒魂は船の導き手として顕われるだけで新羅国に鎮座させたりはしない。皇后はただ矛を門前に立ててくるだけである。そういうわけで荒魂を持ち帰ってきてしまうのだが、住吉三神の荒魂を穴門の山田邑に、天照大神の荒魂を広田国（ひろたのくに）に祀る後日談がつく。

『古事記』に語られた物語よりもより幾分、戦らしさが加わる描写ではあるが、それでも新羅征討は、神意にしたがうものであることが強調されて、血なまぐささがない。新羅王を殺そうと言い出す者がでても、皇后は神の教えによって金銀の国を授けられているのだし、自ら帰服したものを殺してはならないとそれを許さない。

見逃せない変更としては、『日本書紀』では、高麗、百済の二国もついでに朝貢を約束する話に展開しており、「これいわゆる三韓（みつのからくに）なり」として、新羅征討の物語から三韓征討の物語に伸張している点である。ここに新羅といっしょくたになって、高麗と百済が入ってくることに注意したい。

中世八幡信仰における神功皇后の物語

第五回で述べたように、神功皇后の物語は元寇の脅威にさらされて、中世にあらたに作り替えられる。西から攻めくる敵を迎え撃つために九州の警備を強化するなかで、九州地方に強く結びついた八幡信仰、とりわけ神功皇后の三韓征討の物語が必要とされたのである。京都の石清水八幡宮は、九州の宇佐八幡宮の八幡神を勧請して成る。八幡三神は、神功皇后、その子応神天皇と姫神である。石清水八幡宮では天皇が自らこもって祈祷を捧げる場でもあったわけだが、この地で中世版神功皇后の物語、「八幡愚童訓」もつくられた。主に『日本書紀』の神功皇后の物語を下敷きにして、それに海幸山幸説話にある潮の満ち引きを支配する二つの珠を龍王から授けられる話などを加えて独自の物語へと展開していく。

中世版の特徴としては、はじめに攻めてくるのが敵軍だということである。塵輪という体が赤くて頭が八つある鬼が海から攻めてくるのである。御伽草子の鬼退治の物語のようでいかにも中世物語らしい。鬼を討ち取った仲哀天皇は、しかし流れ矢に当たって亡くなってしまう。したがって三韓を攻める神功皇后は敵討ちをすることになるのである。中世版の神功皇后物語でとりわけ問題含みとなるのが、三韓征討を果たした神功皇后が新羅国の門前に碑文を置いてきたというくだりである。

戦自体は、ほとんど二つの珠の霊力によって勝利がもたらされているので『古事記』『日本書紀』に語られた神の霊験による服属の路線なのだが、神功皇后が新羅国王宮の門前にしるしとして杖や矛をつきたてて帰ってきたという箇所が、中世版では次のように書き換えられているのである。

> これに依りて異国の王臣、たへかねて誓言を立てて申さく、「我ら日本国の犬となり、日本を守護すべし。毎年八十艘の御年貢を備え奉るべし。」（中略）皇后、御弓の弭にて大盤石の上に「新羅国の大王は日本の犬なり」と書き付けさせ給ふ。
>
> （日本思想大系20「八幡愚童訓甲」『寺社縁起』岩波書店、一九七五年。適宜表記は改めた。）

戦時下に喧伝され、とくに問題となった箇所である。ついでに犬追物（いぬおうもの）といって、犬を放って狩りすることは、「異国の人を犬にかたどりて敵軍を射る」ものとして行われているなどと加えていたり、あるいはこの大盤石の文言を末代の恥として焼き消そうとしたのだがかえって鮮明になったと付け加えていたりもするから、敵国に帰伏することは犬のように主人に服従することだといっているように読める。

しかし、「日本国の犬となり、日本を守護すべし」と言い出したのは異国の王なのであって、なぜそんなことを言ったかといえば、例の潮満珠、潮涸珠の二つの珠がひき起こした海水で溺れそうになったからなのである。ということは、ここは海幸山幸説話に接続する部分から読み解かれる必要があるだろう。

そもそも、どこから「犬」が出てきたのか。

海幸山幸の説話は、兄の海幸が弟の山幸に帰伏する服属説話だが、『古事記』によると服属の証として兄は「僕は、今よりのち、汝が命の昼夜の守護人として仕へ奉らむ」と誓うのである。『日本書紀』では「今よりのち、吾、汝の俳優の民たらむ」とある。俳優は歌舞する芸人である。一書第四の別伝ではその俳優の踊りについて詳しく記されている。

すなはち足を挙げて踏み行き、その溺れ苦しぶかたちをまねぶ。はじめ潮足につく時には足占をなし、膝に至る時には足を挙げ、股に至る時には走り廻り、腰に至る時には腰をなで、腋に至る時には手を胸に置き、首に至る時には手を挙げ、たひろかす。それより今にいたるまでに、かつてやむことなし。

（『日本書紀』）

ずいぶん詳しいインストラクションで、このとおりにやれば誰でも踊れそうな溺れ踊りである。海幸が潮満珠を投げられて溺れる様子をこのようにして舞踏としてみせていたのであろう。ひょっとこ踊りのようなおもしろい踊りだったにちがいない。服従のなかには、こうして主人を楽しませる役割を負うことが含まれていたことは心にとめておきたい。それにしても守護人であることが俳優と言い換え可能なのはなぜだろう。俳優が守ってくれるイメージとは、いったいどんなものなのか。この疑問に答えてくれるのが一書第二の別伝である。ここでは、その俳優を異なる言い方で説明していて、そこにイヌが出てくるのである。

すなはちしたがひて申さく、「吾、すでに過てり。今よりゆくさき、吾が子孫の八十連属、つねに汝の俳人とならむ。あるに曰く、狗人といふ。（中略）ここをもちて火酢芹命ののち、もろもろの隼人ら、今に至るまで天皇の宮墻のもとを離れず、吠ゆる狗に代りてつかへまつれる者なり。

（『日本書紀』）

俳優あるいは俳人は、「狗人」と言い換えられている。これよりのち、海幸たる火酢芹命の子孫と、隼人らは、今にいたるまで、天皇の居所を、吠える狗になり代わって警護する者として仕えているという由来説話になっている。海幸山幸の物語とは、どうやら隼人らが宮中に警護役で仕えることとなった、九州勢力の服属の物語にも重なるらしい。吠える狗の代わりに宮廷を警護するというと、一軒家の門の内にいる番犬のようなものを想像してしまうが、そんな習わしがあったという話はきいたこともない。

むしろ古代の人々にとって、門前を守護する者といえば寺の門前の仁王像のようなものを想像すべきであるように思う。仁王の役目を神社で果たしているのが、狛犬（こまいぬ）である。狗というのは、狛犬のことではないだろうか。

神社に限らず、宮中においても、狛犬は本当に天皇を守る役割を果たしてもいたのだ。ある時代まで、天皇の前に下げた御簾のところには狛犬がおかれていた。御簾が風でめくりあがったりしないように、文鎮のようにして置かれる御簾止めには狛犬が象られていたのである。宮中の要人の前には狛犬が並んでいた。

図24　狛犬（広島・厳島神社）

いま狛犬というと、獅子を想像する人もいるかもしれないが、本来は、左側に一角を持つ狗（いぬ）、右側に獅子の対なのである。だから狛犬というのは、主に左側の一角の狗をさしていることになる。なぜ犬に角が生えているのだろう。宮内を守護するイメージに狛犬というペアはいかにもぴったりだといえるとして、では狗人と俳優とはどのようにつながるのだろう。

図25　鎮墓獣（パリ・チェルヌスキ美術館蔵）

この問題を考えるのに、中国の墓の出土品である鎮墓獣がヒントになる。パリにアジア美術を集めたチェルヌスキ美術館がある。このチェルヌスキ美術館所蔵の狛犬によく似た対は、向かって右の獅子はごくふつうの動物なのだが、左の狛犬は一角を備えた人間の顔を持つ人面獣としてあらわされている。鎮墓獣は、中国の墓で死者を魔物から守るために置かれていたものである。チェルヌスキの一対は、北魏時代（三八六～五三四）の遺品とされている。左の人面獣は、眉間にしわ寄せて魔物を寄せ付けまいと怖そうな顔をしているが、頭巾のせいか、その頭巾が全身タイツを思わせるせいか、どこかユーモラスである。

チェルヌスキ美術館には、鎮墓獣が他にもいくつかあるのだが、とりわけ目を引くのが、五～六世紀の遺品である。もう守護として怖がらせてやろうという気も失せたような落ち着いた顔つきで鎮座している。着ぐるみでもつけてなにか愉しい芸でもやってくれそうではないか。これにもちゃんと一角があるから、朝鮮半島を経由して日本にやってきた狛犬は、もとはこのような人面獣ではなかったかと妄想されるのである。ちなみにこの飄々とした顔の鎮墓獣の対は、ニューヨーク、メトロポリタン美術館に所蔵のものだと言われている。バラバラに競売で落とされて別れ別れに

図27　鎮墓獣（ニューヨーク・メトロポリタン美術館蔵）

図26　鎮墓獣（パリ・チェルヌスキ美術館蔵）

なってしまったのだろう。獅子のほうは歯をむき出して、マンガのようなコミカルな顔でさかんに悪霊をおどしつけている。一方で呆然とした姿の人面獣。この二体が並んだら、ますます人面獣は滑稽にみえるだろう。

人面獣という、こんなおかしな姿の像が造られたのだから、その由来を語る物語があってもよさそうなものだが、今のところ、鎮墓獣にまつわる話はみつかっていないようである。ことによると、中国では失われてしまった逸話が、はるばるたどりついた日本の服属説話のなかに生きているということはないだろうか。つまり、この人面獣こそが、俳優あるいは俳人となって愉快な踊りで主人を楽しませ、なおかつ外敵から守ってくれる者として門前に立つ「狗人」

なのではないか。「守護人」だというのに「俳優」だ、「狗人」だとわけのわからないことをいっている、この、筋のとおらないことばの断片に、人面獣の物語の痕跡がひそんでいるのではないかと妄想されてならない。

中世の人たちは、すでに狗人が俳優であったことを忘れてしまっていたかもしれない。それで犬追物などの逸話を入れ込んだりして本物の犬を引っぱり出したりしたのだろう。とはいえ、日本の守護がふつうの犬ではどうにも頼りない。とすると、神社という神社で狛犬は見慣れたものとしてあったのだから、「日本国の犬」となるという文言も、ただの犬ではなく狛犬をまず第一に想像していた可能性もあるのではないか。「新羅国は日本の犬なり」は別伝では「高麗国（こまこく）は日本の犬なり」とされているものがある。コマイヌなんだから、「高麗」国の犬とダジャレのようにして言いたくなったのではないかと妄想したくなるのである。

八幡信仰という神頼みの征討説話にとっては、霊験と呪力を備えた狛犬であってこそ、はじめて守護を頼めるものとなったにちがいない。そしてその淵源には、中国で墓守をし続けた奇妙な姿の人面獣がいたのではないかと妄想されるのである。

宮廷社会の貴族たちは制度として呪術を使える者を配していた。平安朝より前、宮廷では典薬寮に呪禁師とよばれる者をおいていた。仙薬、仙草にも詳しいからまじないだけでなく医者の役割をも果たしていたのだろう。平安朝になると陰陽寮が置かれるようになり、陰陽師が仕えることとなった。第九回「女の統べる霊的世界」にみたとおり、絵巻にはしばしば山伏の姿が女の鼓巫女とセットで描かれている。山の修験者は役行者を祖とする仙人の物語につながっている。宮廷を追い出された呪禁師たちは、修験者、山伏として都の内外で頼りにされつづけていたのではないか。一時は絶大な力を誇った陰陽師も、やがては密教僧に取って代られてしまう。仏教のなかでも密教は呪術にかかわる修法をしていた。

『今昔物語集』は藤原道長の時代に活躍した安倍晴明の術法の力を語る。『今昔物語』巻第二十四第十六「安倍晴明随忠行習道語」（新編日本古典文学全集『今昔物語集』③、小学館、二〇〇一年に拠る）では、「今昔、天文博士安倍晴明ト云陰陽師有ケリ」とはじまって、陰陽師安倍晴明は天文博士なのである。その師は賀茂忠行という陰陽師だった。晴明が幼い頃のある夜、下京に出かけた。忠行は車にのって、晴明は歩いてついていく。忠行は車の中で寝入っている。すると晴明は車の前からえもいわずおそろしき鬼どもがやってくるのをみた。晴明は驚いて忠行を起こして知らせる。忠行は目を覚まして鬼が来ているのを見て術法をもって我が身と従者たちを隠して無事に通り過ぎた。この話は、一つ前に収められている賀茂忠行が息子保憲を伴って祓えに出かけた逸話、第十五「賀茂忠行道伝子保憲語（かものただゆきみちをこのやすのりにつたふること）」と語りの型を共有している。祓えの場で保憲は「恐ろしげな姿の、人ではないが人に似た者たちが二、三十人ばかりいて供物を取って食い、祭壇に造り置いた船、車、馬などに乗って帰っていったのを見たがあれはなにか」と忠行に問うた。祓えの祭壇にはどうやら、食べ物が捧げられ、造りものの船、車、馬などが飾られるらしい。忠行は、自分は修行によって鬼神を見ることができるようになったが、息子は幼くしてすでに鬼神を見ている。立派な陰陽師となるだろうというので、すべての術をこの息子に伝えた。保憲は公私にわたって宮中に仕え、ことに暦を作る者としてはこの一族の他にはないと結んでいる。

　第十六にみえるように、安倍晴明もまた鬼神を見る力を持っていた。ゆえに忠行はすべての術を教えたという。人の目には見えない鬼神を見る能力がすでにして陰陽師の呪力なのである。忠行の死後、晴明の評判は高まり、あるとき幡磨国（はりまのくに）から僧が腕試しにやってくる。法師は二人の童を連れていたが、晴明はそれは変化の者が化けている式神に違いないと思う。そこで「この法師の供の二人の童は式神に使われているのだろう。もし式神ならばたちまちのうちに隠してしまえ」と心の内に念じて、袖の内に手を引き入れて印を結び、密かに呪文を唱えた。またの日の再開を約して別れたのだが、法師は、あちこちを覗き回った挙げ句、晴明の元に戻ってきて、「供をしていた童部二人がいなくなってしまった。返してください」と言った。人の使う式神を隠すというのはかなりの呪力を必要とするので、法師はすっかり感心してしまったという話である。この幡磨国の僧は、第十九「幡磨国陰陽師智徳法師語（はりまのくにのおむみやうじちとくほふしのこと）」で語られる智徳法師でたいへんな呪力を持った人だということがわかる。地方にそれほどの力のある陰陽師がいるなら、朝廷の転覆でさえ難なくできてしまうだろう。だから智徳法師よりも宮中にいる晴明の方が数段上でなくてはならない。その一方で、この説話からは宮廷社会に関わらないところで陰陽師が跋扈していたこともうかがえるのである。

ところで、式神を自在に操れることは、誅すべき人をただちに殺すことができるということでもあるらしい。またのとき、晴明の呪力を試そうという僧たちがいて、庭に五、六匹いたカエルを一匹殺してみろと言う。晴明は、草の葉を摘んで呪文を唱えてカエルのほうへそれを投げた。するとカエルはぺちゃんこになって死んでしまった。僧たちはふるえあがったという。晴明は、家にいるときは式神を自在につかって扉の開け閉めなどをさせていたと語り伝えられてもいる。

摂関政治下の政権争いのさなか、あの人が死んでくれればというようなことは多々あったはずだ。陰陽師がそうした人の生き死にを自在に動かせるとするなら、陰陽師を味方につけた者の勝ちだということになるだろう。

宮廷社会で頂点を極めた藤原道長の栄華は安倍晴明によって実現したのかもしれない。『十訓抄』七ノ二十一（新編日本古典文学全集『十訓抄』小学館、一九九七年）には藤原道長の身を晴明が守った逸話が収められている。道長は栄華を極めたのち、自らの来世の安寧を願って私寺として法成寺を建立した。毎日工事の具合をみに出かけていたが、ある日連れていた白犬が門の中に入ろうとするのを妨害するのだった。前に回って吠えたり、道長の衣をくわえて中に入れまいとするので道長は安倍晴明を召した。晴明はしばらく眠ったように思惟して言った。「君を呪詛しようとする者が厭術（えふじゅつ）のものを道に埋めて、それを越えさせようとしています。それをこの犬が吠えて教えたわけです。犬というのは生来神通力を持っているものですから」。

晴明がさし示すところを掘り起こしてみると、素焼きの土器二つを合わせたなかに黄色の紙を十文字にからげたものが出てきた。解いてみると中にはなにもなくて、朱で一という文字が土器に書いてあるだけだった。

清明がいうには、これは最高の秘法なのだそうだ。晴明の他にこの術を知っているのは蘆屋道満であろうというのである。晴明はふところから紙を取り出して、鳥の形にして呪文を唱えて投げた。するとその紙が白鷺となって南を指して飛んでいった。この鳥の落ちて留まるところが呪いをかけた者の住むところだというので、下部（しもべ）たちが白鳥の行方を追った。その鳥の止まったところへいくと一人の老僧がいた。これを捕らえて蘆屋道満の行方を知る。道満に問いただすと藤原頼宗の依頼で呪詛をしたことを白状した。道満を罪人として処すかわりに、二度とこうした呪詛の術を使わないことを誓わせて播磨国に左遷した。どうやら道満が流された播磨国は、そこに有力な陰陽師の末裔が育っていったことが妄想されるのである。晴明をためすために播磨国からやってきたという智徳法師もまた、都を追われた陰陽師の末裔であろうと思われる。

これらの記述から、陰陽師というのはときに人を呪い殺す力を持った魔術師であることがわかる。式神をつかって身の回りの世話をさせ、鬼神を操る力を持つ。鬼神の動きを掌握しているわけだから、夜に鬼たちが大勢で練り歩く百鬼夜行の日を暦に記して注意をうながすこともできた。百鬼夜行の日の夜に出歩くのは厳につつしまねばならない。ところが平安貴族は通い婚で女のもとに通っていたのであり、会いに行くのは夜のことだった。暦に書かれた百鬼夜行の日などは迷信じみているし女に会いたいという気持ちがあれば、それをふみたおす。するとなんの呪力をもたない人でも鬼に会ってしまうのである。『今昔物語集』巻第十四第四十二「依尊勝陀羅尼験力遁鬼難語（そんしょうだらにのげむりきによりておにのなんをのがるること）」

（『今昔物語集』①、一九九九年）は藤原常行が鬼にあう話。常行は大将となっても元服せず、髪を結い上げない童姿でいた。容姿端麗で色好み。女に目がない（形美麗ニシテ、心ニ色ヲ好テ、女ヲ愛念スル事並無カリケリ）というので夜な夜な出歩いていた。父母が止めるので、常行は密かに馬を用意し、小舎人童と馬の舎人ばかりを連れて出かけたところ、多くの人が火をともしてわいわいと騒ぎながらやってくる。神泉苑の戸が開いていたので、そこに入り込んで馬から降りて柱のかげに隠れてやり過ごした。いったい何者だろうと戸を細く開いてのぞいてみると、なんと人ではなく鬼どもであった。さまざまに恐ろしげな顔をしている。鬼が通りがけに「ここに人の気配がする。つかまえてやろう」と言っている。ところが近寄ってはくるものの捕まえることができない。他の鬼も走り寄っては捕まえ損なって、どうやっても捕まらない。ある鬼が「捕まらないのも道理だ」というので他の鬼が「なぜなのだ」と問うと「尊勝真言(そんしょうしんごん)ノ御(おはし)マス也ケリ」と言った。その声を聞くと、多くの灯していた火が一度に消されて、鬼たちは東西に走り去っていった。

常行は我にもあらぬ心地で自邸に帰るも発熱して寝込んでしまった。心配する乳母に常行は事の次第を語ってきかせる。すると乳母は昨年兄弟の阿闍梨に頼んで尊勝陀羅尼を書いてもらったのをあなたの衣の首のところに入れておいた。もしそれがなければどうなっていただろう」と言った。結びは「尊勝陀羅尼ノ霊験、極(きわめ)テ貴(たふと)シ。然レバ、人ノ身ニ必ズ可副奉(そへたてまつるべ)キ也ケリ」というので、当時この話を聞いた人たちはみな、尊勝陀羅尼を書いてお守りとしたにちがいない。

鬼にとられないための護符として尊勝陀羅尼が効力があるということになると、もう陰陽師の出番はない。鬼が退散する物語が陰陽師の呪力のためではなく、ただ尊勝陀羅尼というお経のおかげだとする物語は、だんだんと人々が頼りにする魔術師が、陰陽師から密教僧へと移っていったことを明かしているようにも妄想されるのである。

第十一回　鏡よ、鏡よ、神々よ

鏡の妄想力

古都の寺めぐりの楽しみの一つに仏像鑑賞がある。法隆寺夢殿の救世観音像は年に二回しか拝観できないとなれば、その日を心待ちにしてわざわざ見物にでかけるのである。それに対して神社はお守りやおふだをもらいにいくなどの目的がないのなら、とくに観るべきものはないし、どこも同じように思えてしまう。もしかしたら拝殿の奥になにかが隠されているのかもしれないと格子扉からのぞき込んでみても、鏡が鎮座しているだけだったりする。

神社に行っても寺でみるような彫像を観たいという心持ちは中世の人々にも共通であったようで、やはり神社でも彫像や絵画が数多くつくられていた。それが現在ほとんど遺っていないのは、明治時代の廃仏毀釈のせいなのである。神像のたぐいは仏教の影響が色濃いものとして破壊、遺棄されたのである。だから遺っているものも、その不幸な歴史を刻んだ傷だらけの姿であったりする。

もともと神はかたちのないものであって、どこからともなくやってきて巫覡に憑依するものと考えられていたから、神像は神そのものの姿を象ったものではなくて、神がこの世に顕われたときの仮の姿を表したものなのである。だから、男神なら人間のような束帯姿で表されることが多かった。明治以降、このような像が神社からすっかり消え去ったあとに、そこには鏡が残された。

神社の鏡とはいったいいかなるものなのだろうか。

古代人にとって、鏡が目の前のものをそっくりそのまま映すこと自体が驚きだったにちがいない。子どもだって、動物だって鏡の前に立つとたいがいはびっくりした顔をする。動物なら、自分が映っているとは思わないで、向こう側にもう一つの世界があると信じ込んでしまうだろう。映ることはかくも魔術的で、だからこそ鏡には神秘性が妄想されたわけだが、それは日本に限ったことではない。各国の墳墓の埋葬品から鏡が発掘されているのは、鏡の不思議が魔除けなどの呪力と結びつくからだ。

現在のように鏡が姿見としての日用品になると、映すことの不思議はすっかり薄れてしまって、姿を映すことよりも、むしろ映らないことを人は妄想しはじめるようになる。たとえば、『白雪姫』のお話で、「鏡よ、鏡、鏡さん、世界で一番美しいのはだれ?」と毎日鏡に尋ねていた白雪姫の継母は、ある日突然、鏡が白雪姫の姿を映したことに仰天して白雪姫を殺すように命じた。鏡は目の前の像をそっくりそのまま映し出すに決まっているのだから、女王のかわりに白雪姫が映っているのはとんでもない恐怖である。それで丑三つ時に鏡を見ないほうがいいだとか、夜中にトイレにいっても鏡は見るなだとかいった俗説も生まれてくるのである。

あるいは、鏡に映る像と鏡の中の世界は実は同期していないのかもしれないという妄想にかられると、鏡は異世界への扉へと変貌を遂げる。ルイス・キャロル『鏡の国のアリス』(矢川澄子訳、新潮文庫、一九九四年)で、アリスは「鏡のむこうにお部屋が見えるでしょ——この応接間とそっくりおんなじで、ただ何もかもさかさまなのね」、「みえてるかぎりではうちの廊下そっくりだけど、そのさきはまるでちがうのかもね」と思うことで、鏡の国へ旅立った。

鏡は、目の前のものを反射するという実に単純な仕組みであるにもかかわらず、実際には同じにみえて左右が逆になっていたりもするし、そもそも映すことそのものが異様なのであって、さまざまな妄想を引き起こすツールなのである。たとえば『古事記』『日本書紀』の天照大神説話において、天の岩戸に篭った天照大神を引っ張り出そうとするときに、「あなたより優れた神がいる」と言って、鏡を差し出した。天照大神はそこに映る我が姿を見て、もうひとりの神がいると錯覚するのである。とすると、鏡はドッペルゲンガーの妄想にも結び付くことにもなる。

映らない鏡

ところで、神社に置かれた鏡はなにかを映すものなのだろうか。それとも映すつもりのない鏡なのだろうか。和辻哲郎は『日本倫理思想史』のなかで、神鏡は映らないことにその神秘性があると述べている。映らなくても鏡であればそれが神器なのだという。弥生時代の遺物として出土された銅鐸や銅鉾が「鳴らない楽器」であったり、「使えない武器」であったりしたように銅鏡は、「うつらない鏡」ではないまでも少なくとも「うつさない鏡」であったというのである。和辻は、この「使えないもの」こそが、これらの銅器を聖なるものの象徴形式として祭儀的に機能させるとし、すでに映らなくても鏡であればそれが神器なのだという神をめぐる心性を言い当てようとする。

当時のシナにおいて鏡が顔をうつす道具であったことは疑いのないところであるが、しかしわが国の鏡は、「うつらない鏡」ではないまでも少なくとも「うつさない鏡」であったらしい。鏡の遺品のうちには鈕の著しく摩滅したものがあって、恐らく所有者は鏡を胸に懸けて歩いたのであろうという推測を喚び起こしている。胸に懸ける場合には、もちろん磨いた面を外に向けるのである。それは円形の輝くものとして、太陽と同じく、人に神秘的な威力を印象したのであろう。古墳の副葬品として見いだされる場合にも、シナの古墳におけるごとく化粧道具の一つとして埋められているのではなく、死者を護る呪力的なものとして死骸の中枢的な場所に置かれているのが認められた。

（「日本倫理思想史上」『和辻哲郎全集』第十二巻、岩波書店、一九六二年）

つまり、鏡は丸くて光るものでありさえすれば、それで呪力をたたえることになったというのだ。とはいっても、たとえば『土佐日記』（新編日本古典文学全集『土佐日記　蜻蛉日記』小学館、一九九九年）につづられた西海の舟旅で、海を静めるために鏡を奉納するのも映らない鏡でよかったのかどうか。「眼（まなこ）もこそ二つあれ、ただ一つある鏡を奉る」として、いかにも口惜しそうに眼でも二つあるのに、ただ一つしかない鏡を奉る、と海に沈められた鏡は「眼」と喩的連想の糸で結ばれているのだから、眼のように明らかに見えるものでなければならなかったのではないだろうか。海の神に宝物たる鏡を捧げて沈めれば、やがて神の怒りが鎮まり、海が「鏡の面」のごとく静まると考えられた。そのことを、こんな歌で表現している。

ちはやぶる神の心を荒るる海に鏡を入れてかつ見つるかな

鏡が「眼」と関わる「見る」ことに分かち難く結ばれていることを思うと、瞳のように世界を映すことがまずは前提条件であるように思えてくる。

和辻のあげる銅鉾の例は「武器としては到底役立たないほど広い刃を持つ」ものや、「驚くべき巨大なもの」として、確かに武器としての有用性に乏しそうであるのに対して、鏡の例の場合、「うつらない鏡」を「少なくとも「うつさない鏡」」と言い換えてずらしているのだが、これは小さくない差異である。

和辻は「うつさない鏡」の例として、お守りとして胸にかけて用いられた鏡を挙げているが、それが身を守る呪的なものであるならば、少なくとも鏡はよく磨かれた光るものでなければならなかったはずだ。よく磨かれた光る鏡なら、「うつさない鏡」かもしれないが「うつらない鏡」ではない。

ちなみに、鏡の光をあつめる機能を利用したのが平等院鳳凰堂である。鳳凰堂には、薄暗い堂内を明るくみせるために、影像を映すことを目的としていない装飾用の小さな鏡が天蓋にたくさん貼り付けられている。反射鏡として用いられたその鏡面は太陽や月に代わってあふれる光を演出する。言うまでもなく反射鏡は姿見としての役にはたたないものの、光を映しこむための装置である。首からかけた魔除けの鏡も同様に、光を反射させる機能はあったろう。その意味で和辻のいう「うつさない鏡」とは、単に姿見ではないものという以上のものではないということになる。

真実を映す鏡

実際、鏡が映像の鮮明さを求められるのは日常の場であって、祭祀の場ではなかったろう。ところが、『枕草子』「上に候ふ御猫は」章段（新編日本古典文学全集『枕草子』小学館、一九九七年に拠る）を読むと、日用品としての姿見の鏡でさえも、目の前のものをそのまま映す以上の神秘性があると、どこか信じられてもいたようなのである。

一条帝の宮中に翁まろという犬がいた。ある日、翁まろは、天皇のかわいがる猫にかみつこうとしたので袋叩きにあって宮廷を追い出された。やがて体をひどく腫らした犬がやってくるが、翁まろは打ち殺して捨ててしまったはずで帰ってくるはずがない。それにもし翁まろならば、

「翁まろか」と呼べばよろこんで飛んできたものなのに、いくらよんでも寄ってこないから、これは翁まろではないということになった。

ある朝、中宮定子が鏡にむかって身繕いをしながら、翁まろをあんなに打って死なせてしまったなんてかわいそうなことだったと話していると、庭先の、体を腫らした犬は、ふるえわななて涙を落とした。これこそ、やはり翁まろであったのだと、人々はようやく気づいた。

このとき、翁まろであることを中宮に確信させたのは鏡の影像なのである。暗い室内で、中宮の髪を櫛けずるのに、おそらく鏡は、外の光をとりこむために、うちから外へ向けられて、ちょうど庭先を映すような角度に掲げられていたであろう。女房に「御鏡を持たせさせたまひて御覧ずれば、げに、犬の柱もとに居たるを見やりて」とあるから、中宮は鏡越しに翁まろが映し出されているのを見ている。鏡を媒介としてはじめて本来の姿が露わになったのである。

『枕草子』の翁まろの挿話は、日用品の鏡が、ただ目の前の世界を映し出すだけのモノを超えて、人の目にはみえていない、世界の真実を映し出す例として読める。平安宮廷では、鏡は日用品であると同時にその神秘性も認められていたといえるだろう。

『更級日記』（新編日本古典文学全集『和泉式部日記／紫式部日記／更級日記／讃岐典侍日記』小学館、一九九四年）で、長谷寺参りで、母親が参拝の代理人に「一尺の鏡を鋳させて」持って行かせたのは日用品としては大げさすぎるぐらいが神をそこに宿らせるための鏡としてちょうどよいということなのだろう。この鏡は予言者となって、僧の夢の中で、『更級日記』の作者が「臥しまろび泣き嘆きたる影」を映し出して作者の不吉な未来を予言する。

あるいは『源氏物語』によれば、宮廷内の内侍所には神鏡が置かれていたというから、神を祀ることと、鏡を祀ることが一つのこととして考えられていたことも確かである。とはいえ、鏡が神だというわけではないのである。鏡を置いて神の姿を想像しろと言うのは無理というものだ。どうみてもただの姿見にみえるからだ。だから鏡を「神鏡」としてみせる場合には、そこに神を呼び寄せる巫覡が必要とされるのである。巫覡は、鏡の上に神を呼びこんで会話をしたり、神を自身に憑依させて神のことばを語ったりする。このことは別なことのようでいて、同じことである。というのも鏡のなかに神の姿を呼び出す場合、鏡は目の前にいる人を必ず映し込んでしまうのだから、実際にはそこには巫覡の姿が映ることになる。つまり鏡を用いた場合も、巫覡自身に神の憑依させたときと同じように、巫覡の身体が神を表象してしまうことになるのである。神を呼ぶものに神が憑依するのならば、神を呼ぶ儀式において、神と巫覡との境界はなくなって、いきおい巫覡が神のようにみえてきてしまうということになる。そのように考えると、神を映す神鏡は、鏡を媒介として向き合う二者が神と巫覡としてそれぞれ異なっているにもかかわらず、同一のものに溶解させるモノとしてあることになる。

あらぬものを映す鏡

平安宮廷物語にあらわされる鏡をもう少しみてみよう。
『源氏物語』で、須磨へ向かう光源氏が紫の上と交わした別れの和歌は、この身が離れ離れになっても、鏡を見ればそこに影像が留まっているというものである。

身はかくてさすらへぬとも君があたり去らぬ鏡の影は離れじ

別れても影だにとまるものならば鏡を見ても慰めてまし

（『源氏物語』㈡「須磨」巻、岩波文庫、二〇一七年）

平安宮廷物語では、鏡はそれに向き合う者の姿をただ映すものではなく、いつか映した影をずっと留めているもの、あるいはそこに遠くから影をよび寄せることができるものとして妄想されていた。
あるいは、藤原定家の手になると言われる『松浦宮物語』（新編日本古典文学全集『松浦宮物語／無名草子』小学館、一九九九年）でも、鏡は別れのときに面影を留めるものとして贈られている。後にこの鏡をみると、「見し世はさだかに映りけり」とあって、過去に愛した女性がはっきりと映しだされ、彼女の香りまでも発するのである。面影を映す鏡という、まるで現在の写真のような発想は、そもそも鏡が目の前のものを映し出すだけではなくて、目の前にあらぬものを映すものだという妄想からきているだろう。こうした妄想は、巫覡による降霊術が形成したものではなかったか。巫覡は、霊界から死者を降ろし、鏡に映して対話したり、神の姿を寄せたりしていたのである。

図28　国文学研究資料館蔵『花鳥風月』（日本古典籍データセット）

室町末期成立とされる御伽草子「花鳥風月」（『御伽草紙』有朋堂文庫、一九三二年）には、鏡に光源氏と末摘花の霊を寄せて語る口寄せ巫女が描かれている。雨の日のつれづれに、男たちが集まって、扇合わせをしている。ある扇の絵に、美しい貴族男性と、そのかたわらに口元を袖でおおっている女性が描かれている。この絵の男が、在原業平なのか、光源氏なのかをめぐって論争が起こった。

そこで、過去未来のことを明らかに占い、空飛ぶ鳥も祈り落とすことができるという女巫女の姉妹、花鳥と風月を召して占わせようということになった。梓弓を打ち鳴らしながら、まずは業平を降ろして、花鳥に憑かせ、風月が問い手となって問答する。しかし、扇の絵に描かれた男が業平なのかはどうかはわからなかった。そこでこんどは、光源氏を鏡に呼び出すことにする。この鏡は「生霊（いきりやう）、死霊（しりやう）、人間、畜類、仏神三宝」のなんでも顕われないことはない「神鏡」なのだという。呼び出された光源氏は、なんと扇の絵に描かれたとおりの男であった。はじめ花鳥が光源氏になりかわって語っていると、風月が正体をなくした様子でなにかに取り憑かれているようだ。すると鏡に扇に描かれてあったとおりの女が源氏のそばに寄り添うように映った。

風月が末摘花となって、花鳥の光源氏と問答する。末摘花は、光源氏の恋のお相手のなかでもひどい描かれようをされた女性なのだが、ここでも光源氏は「そもそも誰なのだ、見たこともない人の姿だな」などとつれないことを言う。そこで末摘花は恨みつらみをこめて光源氏との関わりを語ってきかせる。末摘花は、恋しき人をせめて鏡に映してながめようと、鏡に寄って光源氏の影をみようとしたのだが、そのかたわらに鏡をのぞき込んでいる自分の姿が映ってしまう。そこに映る姿は『源氏物語』に普賢菩薩の乗物、すなわち象のように垂れた鼻だと書かれた醜い姿で、さすがに恥ずかしく、愛執を断ち切りたい一心で顕われ出た。どうか後生を弔ってほしいといって鏡の中から去っていった。風月は夢から覚めたように正気を取り戻した。花鳥に取り憑いた光源氏も罪障の闇が晴れて悟りを得た境地である。花鳥が座敷を立つそぶりをみせると、光源氏も鏡の中から消えた。

「花鳥風月」の物語では、鏡は霊を映し出すだけではなく、末摘花が語るように、恋しい人の面影を眺めるためのものでもある。末摘花の語る話によれば、鏡が目の前にあらざるものを映すとき、同時に目の前のものも二重映しにしてしまうことがわかる。

このようにして巫覡は、鏡に霊を寄せ、霊のことばを語ることをしていたわけだが、しかし物語ならいざしらず、実際には、巫覡に霊が取り憑いているだけで、その巫覡が映っているだけのことだろう。

ここにこの物語のような真実味を加えたいと思うのは人情である。鏡面に仏や神の姿を線刻した鏡像とよばれる遺品がいくつも伝わっている。鏡に仏神の姿がほんとうにやってきたことを演出するために、鏡面にキズをつけて角度によっては像が見えるようなイカサマを思いついてしまったのだろうか。「花鳥風月」で鏡に寄せた像と鏡に向かう者とを二重映しにしたように、巫覡の映る鏡に、仏や神の姿がうっすらと現れる、そんな趣向だったのかもしれない。鏡像の登場によって、仏神に取り憑かれている巫覡の姿を仏神そのものなのだと思いなすという、やや無理のある妄想力にたよらなくても、誰でもはっきりと仏神の姿をそこに見ることができるようになったわけである。

図29　十一面観音鏡像（12世紀）（ニューヨーク・メトロポリタン美術館蔵）

鏡像が線刻というかたちで、淡く影像を表しているのは、鏡の姿見の機能を維持しようとしたせいだろう。つまり目

図30　春日鹿曼荼羅（14世紀）（ニューヨーク・メトロポリタン美術館蔵）

の前の巫覡も映しながら、神仏を映す二重映しの機能こそを重視したのである。そこに巫覡が映っていて、その巫覡が神がかっているのなら、それでよしとすべきなのに、鏡に神仏を薄く表して、巫覡の姿と重ね合わせるなどはわかりやすくも過剰な表現だ。

この過剰な表現は、たとえば、春日鹿曼荼羅のバリエーションにもよくあらわれている。奈良の春日大社周辺は、今でも多くの鹿が生息している。鹿は神の乗り物として神聖視されているのだ。この鹿に春日明神が寄りつく様子を描いたのが春日鹿曼荼羅である。春日鹿曼荼羅で検索するとさまざまな形式の画幅をみることができる。それらの制作された年代の前後関係は不確かだが、妄想的に類別するに次のような次第であったのではないかと思われる。

まずは鹿が馬でもないのに背中に鞍を乗せている姿を描いて、そこに見えない神が乗っていることを象徴的に示す。ところが、鹿の背に神が乗っているということをダメ押しのようにして説明したくなったのだろう。なにせ神の姿は見えないのだから描けないわけで、ならば鞍の上に神を寄せる紙垂(しで)のついた榊を乗せて、そこに神が寄ってきているサインを明示するのである。この時点でかなり説明的になっているのだが、依り代に神が寄ってきたことをさらに正確に表現しようとして、鏡に映る本地仏を一緒に描いてしまうようになる。依代は神を寄せる道具、鏡に神が寄る。そして鏡に本地であるところの仏の姿が浮かぶ。こんなふうにますます説明的な表現となっていったのではあるまいか。

これでも足りないとすれば、信仰についての理解力の著しい劣化があったとしか思えない。それは信者のせいか、宗教者のせいかはわからないが、ともかく、鹿の背中についに神様をあらわす束帯姿の男性を乗せてしまうに至るのである。本来は鹿を見て、そこに神を観取しなければならないのだが、ただの鹿にみえてしまう愚鈍な観者のために、神の寄る依り代を加え、神の本地仏をうっすら映した鏡を加えて、さらには神とおぼしき人間を描きこむといったふうに、過剰性をいや増していくのである。

そんな過剰性の志向は鏡像にも変化をもたらす。鏡面に顕現する神仏の姿をあくまでも幻視させるような淡い線刻の手法で表現してきたことに飽き足らず、鏡面に立体的な神仏の像を彫り出し、ついには完全な立体を張り付ける方法を編み出していくようになるのである。

これを懸仏(かけぼとけ)というが、懸仏のキッチュなフェイクぶりは、さらに徹底されて、ついに鏡である

ことを手放してしまいもする。といっても、やはり懸仏は鏡でなければならないという思いは残っていたらしく、木製の板に、鏡に見せかけるための素材を貼り付けてますますフェイクぶりに磨きをかけていくのだ。

懸仏は、神の、鏡への憑依のリアルな表現であったはずだが、しかし稚拙な仏画や神像の図はかえって神が宿ることを観念的に思考させるものから後退させてしまう。懸仏はもはやそこにリアルな神仏を見せてくれるものではなく、数ある神仏の彫像や絵画と等しく、象徴を形象化するものにすぎなくなる。懸仏となった鏡は、もはや鏡に向き合う者の姿を映し出す隙をほとんど残していない。

そこに向き合う者が映し出されることで、映り込んだ巫覡の姿を神仏の憑依した者かつ神仏そのものとして幻視し、鏡は巫覡の聖性を担保したのだろう。ただしそこには、巫覡の姿を神仏の姿だと思い込む、妄想力が必要とされる。信心には強い妄想力が必要なのである。しかし過剰に説明的な表現は観者を甘やかし、妄想力を無用のものとしてしまう。妄想力を自在に遊ばせるに

図31　懸仏（15世紀）（ニューヨーク・メトロポリタン美術館蔵）

は、あまりに説明的であってはならない。妄想の余地がなくなってしまうからだ。そこに向き合う者を映すことを手放した懸仏という方法は、したがって、巫覡の存在を不要としてしまう。誰がみても、そこに仏神像があることがはっきりわかるからだ。和辻哲郎が神器だと述べた「うつらない鏡」は、少なくとも懸仏の例をみる限り、神器であることを諦めていく予兆だったのである。

懸仏は廃仏毀釈で相当数が廃棄されたにもかかわらず、なお夥しい数の遺品が残されている。いつからか映らない鏡の懸仏は個人の祈願と祈祷のために奉じられる極めて自閉的な奉物となったのである。

第十二回　中世日本のエロスの王——人はなぜ恋に落ちるのか

恋に落ちるのと夢を見るのはおなじこと

恋に落ちるなどというと、fall in loveという英語が思い浮かんで、どうにも新しい考えだという気がしてしまうのだが、むろん恋自体は有史以来、日本の文芸の主要なテーマであって、和歌も物語も恋を描いてきた。『古今和歌集』にはじまる勅撰和歌集は、テーマごとに集めた部立てに、春の歌、夏の歌、秋の歌、冬の歌に加えて恋の歌というくくりをはじめから立てていた。恋がなくては歌はうまれない。物語にしても、物語の祖と呼ばれている『竹取物語』からしてかぐや姫に恋した男たちが競い合う話であったわけで、恋がなくてはお話にならない。第四回「男同士の恋愛ファンタジー」でみたとおり、和歌の恋の歌には稚児と僧侶のものもあったわけだから、男同士の恋も当然のことながら含まれる。ちなみに、古代中世の人は、プラトニック・ラブのような近代西洋キリスト教的観念は持ち合わせてはいないので、恋といえば、それは当然、性愛をさしていた。性愛ぬきの精神的な愛などというものは存在していない。であるから、会いたいというのは、すなわちむつみたいという意味を含んでいたわけだが、それがいやらしいことだとはまったく思ってはいなかった。だからといってやたらに性愛に対してあけっぴろげであったわけでもない。むしろ、平安宮廷社会の男女の逢瀬（デート）は夜に行われていたように、恋そのものが人目を忍んでひそやかに行われるものだった。

ところで、恋に「落ちる」という表現には、「うっかり」とか、「思いがけず」といったニュアンスが込められている気がする。なんといっても「落ちる」といえば、日本語でなら「地獄に落ちる」というように、上から下へと真っ逆さまに転落するイメージである。したがって、恋というのは、「よし！　恋をしよう！」などという意志的な行為ではなく、いつのまにやらそのようになっていたという状態をさすのではないかと思われる。

さてでは、だれかを恋するという、身を焦がすようなせつないような、あの気持ちはいったいどこからくるのだろう。思いもかけず無意志的に、いつのまにかそのような状態になっているのが恋というわけであるから、これはどうしたって、あらかじめそのように運命づけられていたからそうなったとしか思えない。少なくともそのように古代中世の人たちは考えた。恋する理由は、つまり前世の縁にあるのである。

恋の、意志によらない不可抗力感は人が夢を見るときに似ている。なにしろ眠っているときに見るのだから、身体はまったくの無抵抗状態にある。悪夢をみると、金縛りというかたちで身体拘束にあうことさえある。だからこそ、夢は外からやってくるものとして考えられていたのである。

恋と夢とは無意志的に陥った状態という意味で似ている！というわけで、夢と恋を掛け合わせてつくられたのが室町時代物語の「転寝草紙（うたたねのそうし）」である。古代中世の人々は、相手を思いながら眠りにつくと、夢の時空でその人に会うことができると考えていた。夢で会うというのは、ただ自分の夢に相手が出てくるといった、現在の私たちが想像するようなものとは違う。夢は時空を超える通路のような役割をしていて、夢の通い路をとおって相手と本当に会っているのだと考えているのである。

あるいは、相手のことをふと思ったときに、その相手がいまの自分の姿を夢に見てしまうとも考えられていた。たとえば、浮気をしているときに、夫のことがちらりと脳裏をかすめたりする。すると、夫がその浮気現場を夢にみてしまうのである。恐ろしいことである。

一五世紀に、つくられた「転寝草紙」(新日本古典文学大系『室町物語集』上、岩波書店、一九八九年)は、小野小町の次の歌から語り出す。

うたたねに恋しき人をみてしより夢てふ物は頼みそめてき

うたた寝の夢に、恋しいあの人が現れてからは、夢を見ることに依存するようになったという意である。

この物語がユニークなのは、恋人が夢にでてくるのはいいとして、見ず知らずの男女が恋人同士となった夢を互いに見るところだ。二人が同じ夢をみる。目が覚めても、夢の相手が恋しくて、現実の世界で探し出すという話。たしかに、夢の中には知り合いだけではなく、初登場の人物も出て来はする。だから夢の中で現実には知らない相手とデートしている場面がでてこないとも限らない。たいていの場合は、目が覚めると忘れてしまうのだけれども、この物語の主人公はお互いに夢の人を恋しがっているのである。恋にまどうと人は石山寺に参籠する。

おりしも男女がそれぞれ石山寺に参っているところで、女は夢の男がすぐそこにいることに気づいた。しかし女である。のこのこ出かけていって挨拶したり、手紙を送って誘い出したりはできない。そこで女は死んで来世で一緒になろうと思いつくのである。女は橋の上から川に飛び込んだ。そこへ帰路につこうとしていた男が舟で通りかかる。女を水の中から助け上げ、舟に抱き入れてみると、なんと夢の女だった。こうして石山寺の観音の霊験によって二人は今生で結ばれることになった。

「転寝草紙」は、前世、現世、来世の三世にわたる恋の縁を描いている。そもそも、見ず知らずの男女が夢で逢うのは、前世に縁が結ばれていたからである。しかし今生に一緒になれる見込みがないのなら、これはいっそ死んで来世に同じ蓮の上に生まれ変わったほうがよいと女は考えた。

死後、極楽浄土に行くならば、蓮の花の上にちょこなんと生まれ変わることになっている。はじめて愛しあった恋人同士は同じ蓮の花の上に生まれ変わると言われている。だから、「同じ蓮の上に」というのは、今だけじゃなくて来世も一緒にいようね、という意味で、相手を落とす口説き文句としても使われていたのである。この慣用表現をそのまま物語的に実現しようとして女は身投げしたわけである。こうした悲恋の挙げ句、来世で結ばれることを願っての死というのは江戸時代の浄瑠璃の心中ものの王道だが、実は『源氏物語』などでは、恋をあきらめるためには都を離れるか、出家をするぐらいで、死のうとまではしなかった。宇治十帖で薫と関係しながらも匂宮と密会しつづけた浮舟は入水自殺したとされるが、実際には単に失踪しただけだ。それでも恋にまどう女の入水のイメージを醸成したのかもしれない。ともあれ、「転寝草紙」では女は男に救われめでたしめでたしとなる。その落としどころは、石山寺詣では恋に効くという宣伝になっているのがさすが石山寺である。

ともあれ恋に落ちるのは前世の縁のためである。自分が生れる前の別な人生で、その人と会っていたから恋に落ちるのだとしたら、夢のなかは前世を映しているともいえるかもしれない。『源氏物語』にも、くり返しくり返し前世の縁について書かれている。主人公の光源氏のようなすばらしい男の子が産まれたのも、母親が前世にそんな縁をもっていたからだと考えるし、光源氏が青年になって、ある女性に夢中になってしまったときも、こんなに好きになるのは、きっと前世に縁が結ばれていたからなんだなと考えたりする。このように、日本の古代中世の人々はとつぜんわき起こる制御不能な恋という感情を、自らの人生にあらかじめ登録されていた縁が起動するものとして考えていたのである。

悪夢をみたら吉夢に変える

平安時代などの社会では、おつきあいは通い婚形式ですすめられたから、男が女のもとへ訪ねていくのである。したがって会いたいときに簡単に会えるわけではなかった。会いたい気持ちがつのると、二人はしばしば夢のなかで逢瀬を遂げることになっていた。夢というのは、多少支離滅裂でも夢見ているそのときには妙な現実感がある。その感覚から、眠っているあいだに魂が抜け出し、夢の通い路をとおって実際に相手に向き合っているものと考えられていた。夢は現代人が考えるように深層心理が反映される場ではなく、もう一つの現実空間だったのである。

たとえば、夢のお告げというのは、そうした現実空間に、神や仏などの霊的存在が教えさとすためにメッセージを送ってくるものと考えられたので、夢解きをして、そのヴィジョンを解釈する占い師が活躍していたのである。他人が見た吉夢をちゃっかり手に入れてしまうこともできたし、悪夢を吉夢に変えるおまじないもあった。

『宇治拾遺物語』巻第十三の五には「夢買ふ人の事」（新編日本古典文学全集『宇治捨遺物語』小学館、一九九六年に拠る）の話がある。吉備真備は夢を見て夢解きの女占い師のもとに行ったとき、あとからやってきた国守の息子の夢を盗み聞きする。それは大臣にまでなり上がるというたいへんな吉夢だった。この夢が欲しいと思った吉備真備は、その夢を盗み取る。そのやり方とは、国守の息子が語った夢をまるで自分のもののように、そっくりそのまま語りなおすこと。こうやって人に取られてしまっては元も子もないのだから、夢は他人に話してはいけないと話を結んでいる。

吉備真備という人は強い霊力をあやつれる人として伝承されていたらしく、悪夢を吉夢に変えるまじない歌も吉備真備の歌として伝えられている。悪夢を吉夢に変えてくれるといえば、法隆寺の夢違観音が有名だが、観音菩薩に祈るよりも手っ取り早いのは、呪文を唱えることである。悪い夢を見たら、「あらちをのかるやのさきにたつしかもちがへをすればちがふとぞきく」（新日本古典文学大系『袋草紙』岩波書店、一九九五年）と言えばいい。霊柩車を見たら親指を隠せというのと同じような縁起返しの方法である。こうした呪文を吉備真備が唱えたとするのは、吉備真備が遣唐使として中国に渡り、陰陽道を持ち込んだとも伝えられているせいだろう。陰陽道は、吉凶を占ったり、人を呪い殺したりなど、おまじない系の最たるものであったが、この力は絶大で宮廷社会の権力者はそれを必要としていたのである。したがって宮廷には、陰陽寮という部署が作られていて、吉凶を記した暦を作らせたり、出産や病のときの祈祷にかり出したりしていたのである。

このように悪夢を吉夢に変えることができると考えられるとすれば、思い通りにはならない恋を相思相愛に変えることもできるのではないのかと誰もが妄想しだすだろう。たとえば、恋する想いを断つための出家は意志的に行われるものだが、ふっと見た夢を取り替えるように、まったく無意志的な状態で相手の気持ちをコントロールできる呪文があるのではないか。そのように思いついてしまっても不思議はない。

というわけで、院政期になって突如、存在感を増してくるのが愛染明王である。敬愛法といって相手の気持ちを自分に向ける修法を持つ。摂関政治下で、一人の天皇のもとに複数の女たちが寄り集まる宮廷では、誰が天皇の気を引くかが一大事だったはずだが、どういうわけか、その最盛期たる藤原道長の時代に書かれた『源氏物語』には愛染明王は出てこない。院政期に、出産の加持祈祷の通常ラインナップとして「如法愛染王」などが入ってくるようになる。たとえば『源氏物語』での出産の場面では「御修法」とあるだけでそっけない。同じく紫式部の手に成る『紫式部日記』の中宮彰子の出産記事には、「五壇の御修法」とあるから、「御修法」というのは、五大明王をかかげて行われるものをさしていたのだとわかる。五大明王は、不動明王、大威徳明王、降三世明王、軍荼利明王、金剛夜叉明王の五明王であり、ここには愛染明王は入らない。

後深草院に仕えた二条が書いた『とはずがたり』（新編日本古典文学全集『建礼門院右京大夫集／とはずがたり』小学館、一九九九年）には、後深草院の正妻、東二条院の出産の際の加持祈祷が詳しく記され、ありとあらゆる「大法秘法」が行われたとあるが、その内実とは次のようなものだった。

「七仏薬師、五壇の御修法、普賢延命、金剛童子、如法愛染王」。

のちに二条自身が後深草院の子を出産するときにも、御室に申し渡して「愛染王の法」を行わせたとあるのだが、この「如法愛染王」の修法を行う大阿闍梨が仁和寺御室である。この仁和寺御室の大阿闍梨こそが、のちに二条に恋し、子をなし、死んでいく有明の月である。有明の月の恋情は百戦錬磨の二条もひるむほどの凄まじいもので、男はついに恋のために悶死してしまうのである。その僧が使う法である。愛染王の法は、おそらく取扱いをまちがうと危険な、効力の強い秘法として知られていたのだろう。

摂関政治というのは、まずは娘を天皇に入内させ、そこで天皇代を継ぐような男児が生まれたら、その母親が国母となり、その祖父が摂政関白として政治の実質を牛耳るというしくみだったから、政敵を呪い殺して蹴散らすための呪詛は日常茶飯事であった。繁田信一『呪いの都 平安京——呪詛・呪術・陰陽師』(吉川弘文館、二〇〇六年)によると、一条天皇の正妻格に娘彰子を送り込んだ道長などはくり返し呪詛の対象となったのだという。数々の呪詛を除け、道長を守ったのは宮中に雇われた陰陽師安倍晴明だった。ところが、陰陽師のプレゼンスは次第に弱まっていき、いつしかおまじない系は密教の僧侶にぜんぶ持って行かれてしまう。とくに愛染王法は、特別な僧にしか扱えないスゴイおまじないとして徐々に知られるようになっていく。

愛染王法が最初に効験を示すのは、他ならぬ政争をめぐってであった。愛染法の使い方を記した書物『阿娑縛抄』に後三条天皇が即位するにあたって、後冷泉天皇を愛染法によって呪い殺したとある。この修法を行ったのは、後三条天皇の護持僧成尊で、東寺に七日こもったところ、後冷泉天皇が四四歳で亡くなったというのである。成尊は仁海の弟子である。仁海という人は道長に仕えた僧だが、田中貴子『外法と愛法の中世』(平凡社ライブラリー、二〇〇六年)によると、空海に相貌が似ているとされてたいへんなカリスマ性がある僧だったという。

そもそも愛染明王は、五大明王とともに空海が唐から日本に持ち帰ったと言われている。というのも、空海が持ち帰った「御請来目録」の『金剛峯楼閣一切瑜伽瑜祇経』略して、『祇経』に愛染明王の姿について書かれているからだ。それだというのに、愛染明王は、インド、中国に絵画や彫刻の例が見られず、起源をたどることができないというのである。空海がそれを学んだときからあらかじめ秘法として受け継がれていたのかもしれない。

空海（七七四～八三五）は道長（九六六～一〇二八）が生まれる一三〇年も前に亡くなっているのだが、道長の時代には弘法大師として聖徳太子とともに信仰の対象となっており、『栄花物語』（新編日本古典文学全集『栄花物語』②、小学館、一九九六年）によると他ならぬ道長が、聖徳太子、弘法大師の生まれ変わりだと言われていたのである。道長は、聖徳太子ゆかりの天王寺と弘法大師空海ゆかりの高野山に参詣しているのだが、このとき道長は弘法大師の「御入定のさまを覗き見」ている。弘法大師はおそらく座禅を組んだまま死して極楽浄土へ往生した、いわゆる即身成仏したものと思わ

図32　愛染明王（14世紀）（ニューヨーク・メトロポリタン美術館蔵）

れるが、死後一八〇余年ほどたっているというのに、「御髪（みぐし）青やかにて、奉りたる御衣いささか塵（ちり）ばみ煤（すす）けず、あざやかに見えたり」（巻第十五「うたがひ」）とあって、まるで剃り立てのように青々とした頭で、衣も少しも傷んでいなかったというのである。

空海がそれほどまでに重要視されていたとするならば、空海に似ていると言われた仁海が重用されるのは当然である。田中貴子によれば、仁海が整え、口伝として弟子に伝えた「愛染法の秘決」があって、「愛染法を以て時の権力者に接近し、院政という新しいかたちの権力の成立に関与した形跡がうかがえる」という。「つまり、仁海の大成した（あるいはそう伝えられる）愛染法の秘決は、院政という王法を支える仏法であり、〈王権〉成立のあり方に根本的なところで関わるものとして機能しているわけである」と述べている。

根立研介「愛染明王像」（『日本の美術』No.376、至文堂、一九九七年）によると、院政期において愛染法は「息災、調伏」などを目的として摂関家の上流貴族たちが行っていたのだが、鎌倉時代になると「異賊降伏や天変地災に対する祈祷」にも行われるようになったという。しかし、愛染明王はそのルーツを辿れないだけでなく、なにやら秘密めいた口伝で伝わることも多いようで、修法のあり方もはっきりとはわからない。根立研介は「愛染明王は、どうも愛情の秘事にかかわるような、なにか公にしてはいけないもので周囲を覆われているようである」と述べて、その秘密めく理由を敬愛法にあることを示唆する。

ベルナール・フランク『日本仏教曼荼羅』（藤原書店、二〇〇二年）によると、愛染明王は、大日如来の教え『理趣経』を体言する金剛薩埵から転じて生まれた尊格だという。正木晃によると、『理趣経』は最澄がもたらしたものの、その運用法を書いた文書は空海が持ち帰ったということで空海の密教の根本になっていくという。『理趣経』を読んでみて最澄がおったまげたのも無理もない。正木晃の現代語訳によると『理趣経』（角川ソフィア文庫、二〇一九年）初段にはこんなことが書いてあるのである。


こうして、大日如来は、この世のありとあらゆる存在も行為も、その本性がことごとく清浄であるという真理を、お説きになったのです。

性愛の快楽は、その本性が清浄なのですから、菩薩の境地そのものなのです。

性愛の快楽を得ようとする欲望は、その本性が清浄なのですから、菩薩の境地そのものなのです。

男女が抱き合う行為は、その本性が清浄なのですから、菩薩の境地そのものなのです。

男女が離れがたく思う心は、その本性が清浄なのですから、菩薩の境地そのものなのです。

思い叶って満足し、自分には何でもできると信じ込む心境は、その本性が清浄なのですから、菩薩の境地そのものなのです。

欲心を秘め異性を見て歓びを感じる心は、その本性が清浄なのですから、菩薩の境地そのものなのです。

男女が性行為をして味わう快楽は、その本性が清浄なのですから、菩薩の境地そのものなのです。

性行為を終えて男女が離れがたく思う愛情は、その本性が清浄なのですから、菩薩の境地そのものなのです。

男女が性行為を終えて、世界の主になったような気分にひたる満足感は、その本性が清浄なのですから、菩薩の境地そのものなのです。（以下略）

仏教では、男女の性愛は禁じているはずである。それなのに男女の性愛は、すべて「その本性が清浄なのですから、菩薩の境地そのものなのです」と説かれているのである。その上、降伏について説く第三段では、降三世明王に変身して次のように言ったとある。

欲望は、その本性をよくよく観察すれば、善とか悪とかいう分別を超えるものなのです。そんな欲望から生じる怒りもまた、その本性をよくよく観察すれば、善とか悪とかいう分別を超えるものなのです。

欲望も怒りもそうなのですから、欲望や怒りから生じる愚かしさもまた、その本性をよくよく観察すれば、善とか悪とかいう分別を超えるものなのです。

性愛だけでなく、欲望、怒り、愚かしさも善悪を超えたものとして受け入れていくのが『理趣経』である。したがって、そこに根を持つ愛染明王の秘法に、相手が自分と恋に落ちる法をもっていても不思議はないのである。

エロスあるいはキューピッドの愛染明王像

愛染明王の姿は、『瑜祇経』にあるとおりの姿が多数を占める。すなわち一面三目六臂で炎を描いた円輪を後背に、宝瓶の上の蓮華座に坐す。身体は赤色で、頭には逆立つ髪の真ん中に獅子頭の冠がのっている。六本の腕には、金剛鈴、金剛杵、弓、矢、つぼみの蓮華を持つ。ところが、「左下手持彼」とあって、残りの一手に「彼」を持つと書いてあることから、さまざまな解釈を呼び、人間の男のクビを持たせたもの、日輪、宝珠を持たせたものなどのバリエーションが生まれたのだという。別に弓矢をいまにも射らんというかたちで天空に向けている姿のものがあって天弓愛染明王と呼ばれている。弓矢はむろん武器であるから、相手を殺す呪いの力を誇示するだろう。実際に、西大寺には、蒙古襲来のときに叡尊が愛染明王を本尊として祈祷したところ、鏑矢が西の方へ飛んでいき敵を退散させたという伝説が伝わっている。

しかし同時に敬愛法といって、愛染明王には恋心をあやつる術もあった。

山本ひろ子「中世における愛染明王法――そのポリティクスとエロス」(根立研介「愛染明王像」

『日本の美術』No.376、至文堂、一九九七年）によると、愛染明王が「エロスの王」であることを示唆するのは、『瑜祇経』にでてくる「馬陰蔵の三摩地」だという。「馬陰蔵」というのは、ブッダの局部が、馬のそれのようにして体内にしまわれている状態をいう。したがって、それは性欲がないことを示しているのである。仏像に局部がついていないのはそういうわけである。それだというのに、「馬陰蔵の三摩地」を「男女の性交のメタファーとする説が立川流を中心に展開され、東密の小野流はもちろん、台密の叡山にも伝播していった。この説は、染愛王を男に愛染王を女とし、両者の交合を「馬陰蔵の三摩地」と観ずるものといえよう」と述べられており、秘密の性愛の教えとなっていったというのである。

『とはずがたり』には出産時の修法に「如法愛染王」という修法をしたことが記されているが、それは出産が滞りなくすむという厄除けの意味合いだったろう。そういう一般的な加持祈祷ではなくて相手の心を自分に向ける、ほとんど呪いのような無理矢理の呪術についてあけすけに描いた物語はない。

恋心を支配する法について、ほのめかしているのは鎌倉時代に成立した『石清水物語』である。『石清水物語』は、鎌倉時代の恋物語で、鎌倉時代らしく、常陸国という東国で生まれた武士、伊予守が主要登場人物となる。関白家の左大臣と一介の女房とのあいだに生まれた娘、木幡の姫君は、伊予守の継母のもとで育てられた。偶然木幡を訪れた左大臣の息子、秋の君が木幡の姫君の美しさに惹かれて恋に落ちる。しかし、腹違いの妹であることがわかって、秋の君は恋情をあきらめねばならなくなるが、都の父のもとへ連れ帰る。姫君と別れ別れになることを嘆いていた伊予守であったが、秋の君が伊予守の美しさにほれこんで召し使うようになる。それで伊予守は、都に、しかも木幡の姫君のいる邸へと近づくことができたのであった。要するに秋の君と伊予守という二人の男が木幡の姫君に恋する物語なわけだが、この物語のおもしろいところは、秋の君が伊予守に恋してしまい、関係を持つところにある。秋の君は、「幼いころからそばに育って、姫君の美しさを見てしまったなら、きっと心をうばわれてしまうだろう。」などといいながら伊予守を抱き寄せ、一つふすまのもとに眠るのである。翌朝、伊予守が去ったあと、秋の君は正妻のもとで女房たちを相手に伊予守の美しさをほめまくる。

「姿かたちが人と異なるだけでなく、そばに寄り添っているとたまらなく感じるのは、いったいどんな前世の功徳だろう。高貴な家柄には生まれなかったにしろ、これほどまでに見た目も好ましく、なにごとにも優れている。戒の力かと思うべきだが、下々の身分に生まれたのはいったいどういうわけだろう。愛染王が、かりそめに人となって現れなさったようだ。けれど、あの派手に赤い顔と比べるのは不似合いだよね」

（中世王朝物語全集5『石清水物語』笠間書院、二〇一六年に拠る。）

あれほどの美しさ、すばらしさ、魅力は、愛染王がこの世に現れた姿なのではないかと秋の君は思う。愛染明王である。真っ赤な身体に三つ目の忿怒形の姿である。それが愛らしいわけはない。したがって、これは愛染王の敬愛法でめろめろにされてしまった秋の君という意味で読まねばならないところだろう。

『沙石集』巻第九の十九（新編日本古典文学全集『沙石集』小学館、二〇〇一年）には、法力のない僧が「敬愛の秘法」を行おうとして失敗する話がある。それによると、敬愛の秘法では、修法に使う物を赤く染めて行ったらしい。しかしいくら染めても赤くならなかったとある。

すると、愛染明王の赤色こそが、敬愛法の要であったということになるのだが、伊予守にぞっこん惚れ込んでしまった秋の君は、まるで敬愛法の魔術にかかったようだと言っていることになる。それはまるで恋のキューピッドが矢を射るように、恋におちる秘法だったのではないか。

ベルナール・フォールは、『流動する神殿——中世日本の神々』（Bernard Faure, *The Fluid Pantheon: Gods of Medieval Japan*, vol.1, Honolulu: Univ. of Hawai'i Press, 2016）で、「フロイトを歓ばせるかもしれないが、愛染明王は、エロスとタナトスを司る」と述べている。愛の呪法があるというと西洋ではギリシア神話のキューピッドを引き合いに出したくなるだろうがぜんぜん違うのであるとわざわざ注意もしている。

しかし根立研介が「弓と矢を手に持つ点はギリシア神話のエロスやローマ神話のキューピッドも同様で、洋の東西を問わず恩愛を司る神に共通している点は注目される」と述べているように、どうしたって恋のキューピッドを思わせるのである。キューピッドのギリシア版であるエロスの研究をしたジャン＝クロード・ボローニュによれば、エロスが持っている弓矢は、もともとは雷や火の形象であったという。だとすれば、まさに雷に打たれたような衝撃、心の中でぼっと火がついたような衝動、それが恋に落ちることなのだと妄想されるのも無理もないのではないか。

増記隆介「孔雀明王像」（『日本の美術』No.508、至文堂、二〇〇八年）によると、雷あるいは火は孔雀と同体なのである。「過去に孔雀が日本に渡来した折には火事があり、また、孔雀は雷の音を聞くと孕む鳥であるとする」のだという。雷で孕むというのなら、孔雀明王が、出産時の修法の本尊となるだけでなく、恋する相手の子を身ごもりたいという願いを叶える像であってもいいにちがいない。

典型的な図像は、金色の孔雀の上の蓮華座に結跏趺坐する一面四臂の像である。四本の手にはそれぞれ、蓮の花、果実、桃のような吉祥果、孔雀の羽を持つことになっている。東京国立博物館蔵の孔雀明王像のように、桃の実の変わりにザクロを持つ像がある。吉村稔子（「鼎談　孔雀明王像を見ながら」「孔雀明王像」『日本の美術』No.508、至文堂、二〇〇八年）によると、安産の女神である訶梨帝母像の持つザクロを思わせ、孔雀明王が安産の修法に使われた可能性があるという。具体的には鳥羽院の后である美福門院得子の安産祈願のために制作されたと推定されている。安産の前に、女には祈りたいことがいくつもある。まず孕むこと、そしてその前に愛されること。ならば相手を落とすまじないもまとめて孔雀明王にお願いできないかという横着者もでてきたであろうか。仁和寺蔵の孔雀明王像は、一面六臂で、なんとあらたに付け足した二つの手に弓矢を持たせているのである！　左右の第一手で合掌し、左第二手に弓、右第二手に矢、左第三手には五鈷杵をのせ、右第三手は朱色の房のついた戟を持つ。しかもこの図像はまったくの独創ではなくて、あとから輸入された中国、北宋の作なのである。なんといっても仁和寺である。『とはずがたり』でしきりと「如法愛染王」を修し、二条への恋におぼれ自らをほろぼしてしまった、かの有明の月の寺である。恋する相手を射止める「如法愛染王」と似たような目的で、孔雀明王の弓矢も恋の矢として理解されていたのではないか。やはり弓矢は恋のキューピッドと同じものであったにちがいないと妄想されるのである。

あとがき

むかしむかし、私の学生時代には品川駅から出る大垣行の夜行列車があった。大垣から米原に出て、さらに乗り継いで奈良に着く。東大寺、興福寺、春日大社、法隆寺、中宮寺、秋篠寺から、山の上の室生寺、談山神社などかたっぱしから寺社をめぐって仏像、神像を見て歩いた。法隆寺の夢殿の救世観音、石山寺の如意輪観音、秋篠寺の大元帥明王、金峯山寺の蔵王権現など秘仏の特別御開扉をめがけて旅することもあった。

もしかして、仏像や神像をみることは、妄想力増強に一役買ってくれるのかもしれない。奈良や京都で仏像を身近に感じている地元の方に出会うたびに、古代中世の信仰を垣間見るような気がしていたものである。たとえば京都、即成院に二十五菩薩を拝観に行ったときのこと。夫に先立たれたという老齢の女性が管理人の男性に訴えている。

「はようお迎えにきてくださいって毎日お願いしてんのになかなか来てくれはらへんのです」。

「お迎えにくる」はあの世へ行くことの慣用表現だが、二十五菩薩を前にして聞くと、それはほんとうに音楽を奏でながらやってくる二十五菩薩を連れた阿弥陀如来に迎えとられての極楽往生をさしているのだと深く納得できる。即成院におけるお迎えのリアリティは、希望者がお面をかぶって二十五菩薩に扮してお迎えを演劇的に再現する「お練り供養」が行われていることにもかかわるだろう。この女性は何度となく阿弥陀如来と二十五菩薩の来迎劇をみてきたにちがいない。ことによったら二十五菩薩の役もやったことがあったかもしれない。

あるいは奈良、秋篠寺に大元帥明王の特別御開扉に行ったときのこと。長蛇の行列に数時間並んでいるあいだに前にいた地元の女性に話しかけられた。

「ここの明王さんはね、霊力が強いし、力くれはるから、せっかく遠くから来はったんやしもらっていきなさいよ。ああ、あんたのこの指輪がええわ。そこの井戸水でお清めしてきなさい。あたしここ並んどいてあげるし。」「いってきた？　あんた！　お清めしたのに指にはめたらあかんやん。もっかいいってきなさい。」

お守りのようにいつもつけている金の指輪を女性は指さした。この指輪はいったいどういう趣味かといわれそうだが、春日鹿曼荼羅とサンマルコの聖書を前にたてたライオン像をミックスして、五輪塔を背負った鹿の前に本がかかげられた姿を彫り込んでもらった特注品である。お清めにいったのは、常暁が水面を眺めているとかの大元帥明王の姿が顕われるのをみたという伝説の井戸だ。その井戸水は霊水として、宮中の「大元帥法」による祈祷のために捧げられていたというが、現在は参拝者の持参したペットボトルなどに分けてもらえるのだった。実に甘露であった。

大元帥明王の前に立ち、指輪にパワーをこめてもらって一息ついたところで、先の女性の鋭い声がする。

「あんたッ、殺生したらあかんで！　外に出してやりなさい！」
みると、女性と一緒に来ていた若い男性のズボンに気色のわるい大きな毛虫がついていた。
「ここの明王さんは、ほんまに強いからねぇ、まちがうとあかんねん。力にもなってくれはるけど、逆にその力でダメにされることもあるからなぁ」と女性は言った。毛虫のハプニングもあいまってこの秘仏、大元帥明王像の霊力は絶大なのだと信じられる気がした。

そんなふうにして、仏像をめぐる旅をしながら、古代中世の信仰を垣間見るような経験もしてきたのである。そうして、いつか機会があれば仏像について語りたいという思いがふくらんでいった。

本書は、二〇一六年一〇月二八日から二〇一七年八月二五日まで、毎月末にｗｅｂちくまにアップロードしていた連載「妄想古典教室――性で読み解く日本美術」全一一回をもととし、第十二回とコラム五本を新たに加え全体に加筆修正をしたものである。副題を「性で読み解く」から「欲望で読み解く」に変えているのは、「性」がさすものがあまりに狭いと感じたからである。性に妄想はつきものだが、それだけではなく、空を飛んでみたい、神や仏をみてみたいなども含めたあらゆる欲望が妄想を突き動かしているのだと考えている。

ちくま書房の山本充さんから、ｗｅｂちくまで一般読者向けに古典文学でなにか書かないかとお声がけをいただいたとき、真っ先に思いついたのは、和辻哲郎『古寺巡礼』や澁澤龍彦『幻想美術館』だった。ところが、書けば書くほど細かい話がしたくなってしまい、おもしろい文献があれば古語であれ引用したくなってしまい、はじめに意図したようなスタイリッシュな読み物からはどんどん遠ざかっていってしまった。そうしたわけで古典文献入りの本をいつも担当してくださっている青土社の菱沼達也さんに編集を引き継いでいただくことになった。お二人に感謝したい。

単なる趣味で仏像めぐりをしたあとで、大学院生となってからは、美術史研究によってジェンダーを軸に日本美術を読み解く方法を教わった。日本古典文学にジェンダー論をもたらしたのは、美術史の千野香織さんであったが、思いがけず早世された千野香織さん亡きあと、教え子たちが集ってつくった若手の研究会に入れてもらった。孤児の会、あるいは海の日に発足したので海の日研究会などとよばれた気さくな会で、絵巻や仏画などについて学び、親しむようになった。のちに美術館のキュレーターとなったメンバーたちの企画展から学ぶことも多かった。この研究会の存在なくしては本書はなかった。記して感謝したい。

木村朗子

二〇二〇年一二月

著者　木村朗子（きむら・さえこ）

1968年生まれ。津田塾大学学芸学部国際関係学科教授。専門は言語態分析、日本古典文学、日本文化研究、女性学。著書に『恋する物語のホモセクシュアリティ』、『女子大で『源氏物語』を読む』、『震災後文学論』、『その後の震災後文学論』（以上、青土社）、『乳房はだれのものか』（新曜社）、『女たちの平安宮廷』（講談社選書メチエ）。

妄想古典教室

欲望で読み解く日本美術

2021年2月15日　第1刷印刷
2021年2月25日　第1刷発行

著者——木村朗子

発行人——清水一人
発行所——青土社

〒101-0051　東京都千代田区神田神保町1-29　市瀬ビル
［電話］03-3291-9831（編集）　03-3294-7829（営業）
［振替］00190-7-192955

印刷・製本——シナノ印刷

装幀——水戸部功

ISBN978-4-7917-7349-7　C0095